Hermenêutica avançada
princípios e processos de interpretação bíblica

Dados Internacionais de Catalogação na Publicação (CIP)
(Câmara Brasileira do Livro, SP, Brasil)

Virkler, Henry A.
  Hermenêutica avançada: princípios e processo de interpretação bíblica / Henry Virkler; tradução de Luis Caruso. — São Paulo: Editora Vida, 2007.

  Título original: *Hermeneutics: Principles and Processes of Biblical Interpretation*.
  ISBN 978-85-7367-166-7

  1. Bíblia — Comentários 2. Bíblia — Crítica e Interpretação 3. Bíblia — Estudo e ensino 4. Bíblia — Hermenêutica — Metodologia 5. Bíblia — Leitura I. Título.

07-4785   CDD - 220.601

Índices para catálogo sistemático:
  1. Hermenêutica bíblica 220.601

HENRY VIRKLER

Hermenêutica avançada
princípios e processos de interpretação bíblica

Editora Vida
Rua Conde de Sarzedas, 246 — Liberdade
CEP 01512-070 — São Paulo, SP
Tel.: 0 xx 11 2618 7000
atendimento@editoravida.com.br
www.editoravida.com.br
@editora_vida /editoravida

Tradução: Luis Caruzo
Coordenação: Reginaldo de Souza
Capa: Neriel Lopez

HERMENÊUTICA AVANÇADA
© 1969, 1981 by Henry A. Virkler
Originalmente publicado nos EUA com o título
Hermeneutics: Principles and Processes
of Biblical Interpretation
Edição brasileira © 2001, Editora Vida
Publicação com permissão contratual da
Baker Book House Company
(Grand Rapids, Michigan, EUA)

Todos os direitos desta edição em língua portuguesa reservados e protegidos por Editora Vida pela Lei 9.610, de 19/02/1998.

É proibida a reprodução desta obra por quaisquer meios (físicos, eletrônicos ou digitais), salvo em breves citações, com indicação da fonte.

■

Exceto em caso de indicação em contrário, todas as citações bíblicas foram extraídas de *Edição Revista e Atualizada da tradução de João Ferreira de Almeida* © 1996, by Sociedade Bíblica do Brasil, salvo indicação em contrário.

■

As opiniões expressas nesta obra refletem o ponto de vista de seus autores e não são necessariamente equivalentes às da Editora Vida ou de sua equipe editorial.

Os nomes das pessoas citadas na obra foram alterados nos casos em que poderia surgir alguma situação embaraçosa.

Todos os grifos são do autor, exceto indicação em contrário.

1. edição: 2001
15. reimp.: jan. 2009
16. reimp.: abr. 2011
17. reimp.: jun. 2013
18. reimp.: abr. 2014
19. reimp.: fev. 2023

Esta obra foi composta em *Palatino*
e impressa por *Promove Artes Gráficas* sobre papel
Pólen Natural 70 g/m² para Editora Vida.

Para Mary

*Cuja interpretação da
Palavra de Deus mediante a sua vida
é, para mim, uma fonte constante de estímulo*

Reconhecimentos

Agradeço ao Dr. Gordon Lewis e a Randy Russell o estímulo que me levou a oferecer este trabalho a um público mais amplo quando o texto ainda se encontrava em forma mimeografada. Também agradeço a Grey Temple, Glenn Wagner, Max Lopez Cepero, Buddy Westbrook e Doug McIntosh a leitura de todo o manuscrito e sua valiosa crítica. Gostaria, especialmente, de apresentar meu reconhecimento a Betty DeVries, da Baker Book House, e a Diane Zimmerman e Pam Spearman pela ótima assistência editorial.

Meus agradecimentos também às seguintes editoras pela permissão de citar trechos dos seguintes livros:

Inter-Varsity Press: *Christ and the Bible*, de John W. Wenham, 1972. *Jesus and the Old Testament*, de R. T. France, 1971.

Wm. B. Eerdmans Publishing Company: *The Epistle of Paul to the Galatians*, de Alan Cole, 1965.

Baker Book House: *Protestant Biblical Interpretation: Third Revised Edition*, de Bernard Ramm, 1970.

Cambridge University Press: *The Targums and Rabbinic Literature*, de J. Bowker, 1969.

Zondervan Publishing House: *Biblical Hermeneutics*, de Milton S. Terry, reimpressão de 1974.

Prefácio

O estudo de qualquer assunto compõe-se de quatro fases de desenvolvimento, diferenciáveis entre si, mas que se sobrepõem. A primeira envolve o reconhecimento de uma área de existência, importante e pertinente, mas inexplorada. A exploração inicial consiste em dar nome ao que aí está.

Na segunda fase as tentativas visam a articular certos princípios amplos que caracterizam o campo de investigação. Oferece-se um conjunto de categorias conceptuais, depois outras, à medida que os investigadores tentam desenvolver sistemas conceptuais que organizem ou expliquem os dados de modo convincente e coerente. Por exemplo, é sobremaneira válido considerar as Escrituras de uma perspectiva ortodoxa, neo-ortodoxa, ou liberal?

Na terceira fase o foco desloca-se da elucidação dos princípios amplos para a investigação de princípios mais específicos. Os investigadores que laboram nos vários campos teoréticos perseguem o estudo de princípios específicos, a despeito de poderem partir de diferentes pressuposições e discordarem quanto a qual conjunto de princípios amplos resulta no mais exato sistema conceptual.

Na quarta, os princípios descobertos na segunda e na terceira fases são traduzidos para técnicas específicas que sejam facilmente ensinadas e aplicadas ao campo que está sendo objeto de estudo.

A maioria dos textos de hermenêutica de que hoje dispomos parece ter como alvo primário a elucidação de princípios próprios de interpretação bíblica (terceira fase). É na quarta fase — a tradução da teoria hermenêutica para medidas práticas necessárias à interpretação de uma passagem bíblica — que espero entrar com a minha contribuição.

O objetivo deste texto é dar ao leitor, não só uma compreensão dos princípios da adequada interpretação bíblica, mas também a capacidade de aplicar tais princípios no preparo da mensagem ou no estudo da Bíblia. A vivência no ensino da hermenêutica tem-me indicado que se dermos aos estudantes sete regras para interpretar parábolas, cinco para interpretar alegorias, e oito para interpretar profecias, talvez estejam em condições de memorizá-las para um exame final, mas é possível que não as retenham por períodos mais longos. Por isso, tentei elaborar um sistema conceptual comum que se aplique a toda a literatura bíblica, restringindo-se a memorização a características diferenciadoras específicas. A fim de adquirir-se prática na aplicação dos princípios hermenêuticos, incluí exercícios exegéticos (chamados "persuasores cerebrais", abreviados para PC) extraídos, antes de tudo, de sermões públicos ou de situações de aconselhamento. As respostas aos PCs devem ser dadas por escrito, porque dessa maneira se constituirão em melhor auxílio para a aprendizagem.

Este texto destina-se aos que aceitam os pressupostos históricos, ortodoxos, concernentes à natureza da revelação e da inspiração. Há cristãos ponderados que estudam as Escrituras de outras perspectivas. Essas opiniões variantes são apresentadas em forma breve para efeito de comparação e contraste.

O fato de nossa visão chegar a esse ponto é porque edificamos sobre a obra dos que nos precederam. Reconheço-me devedor a muitos eruditos cuidadosos nesse campo — Terry, Trench, Ramm, Kaiser, Mickelsen, e Berkhof — para citar tão-só uns poucos. Referir-nos-emos repetidas vezes à obra desses homens, e sem dúvida alguma haverá ocasiões quando deveriam ser citados, mas em que deixamos de fazê-lo.

É, talvez, o cúmulo da audácia (ou temeridade) tentar escrever um livro que esteja fora da área principal de competência do autor, que no meu caso é a integração da teologia com a psicologia. Escrevi este livro porque não encontrei nenhum texto escrito por um teólogo que traduzisse em medidas exegéticas práticas os princípios hermenêuticos.[1] Minha primeira intenção era a de uma distribuição limitada dentro do programa de preparação de conselheiros cristãos onde ensino presentemente, e só ofereço-o ao campo mais amplo de estudantes de teologia depois de haver recebido forte estímulo de muitas pessoas. Foram apresentados diversos pontos controversos em teologia, todos eles com a intenção de oferecer com honestidade e precisão posições evangélicas alternativas. De bom grado receberei correspondência, aos cuidados da editora Baker Book House, de meus colegas mais teologicamente informados sobre áreas em que se faça necessária uma revisão.

Henry A. Virkler
Instituto de Estudos Psicológicos
Atlanta, Georgia
Agosto de 1980

---

[1] O livro *Interpreting the Bible*, de A. B. Mickelsen (Grand Rapids: Eerdmans, 1963) é uma notável exceção a esta afirmativa. Contudo, sua conversão da teoria para a exegese prática é feita somente para determinadas formas literárias.

Índice

1. Introdução à Hermenêutica Bíblica 9
2. História da Interpretação Bíblica 35
3. Análise Histórico-Cultural e Contextual 57
4. Análise Léxico-Sintática 71
5. Análise Teológica 89
6. Métodos Literários Especiais:
   Símiles, Metáforas, Provérbios, Parábolas, Alegorias 121
7. Métodos Literários Especiais:
   Tipos, Profecia, e Literatura Apocalíptica 141
8. Aplicação da Mensagem Bíblica:
   Uma Proposta para o Problema Transcultural 163

Epílogo: *A Tarefa do Ministro* 181
Sumário 185
Bibliografia 189
Índice de Assuntos 195

1 Introdução à Hermenêutica Bíblica

Depois de completar o estudo deste capítulo, o estudante deve poder:

1. Definir os termos *hermenêutica, hermenêutica geral,* e *hermenêutica especial.*
2. Descrever os vários campos de estudo bíblico (estudo do cânon, da crítica textual, da crítica histórica, da exegese, da teologia bíblica, da teologia sistemática) e sua relação com a hermenêutica.
3. Explicar a base teorética e bíblica da necessidade da hermenêutica.
4. Apontar três opiniões fundamentais da doutrina da inspiração e explicar as implicações dessas opiniões para a hermenêutica.
5. Apontar cinco dos problemas controversos na hermenêutica contemporânea e explicar cada problema numas poucas sentenças.

Algumas Definições Básicas

Diz-se que a palavra *hermenêutica* deve sua origem ao nome de Hermes, o deus grego que servia de mensageiro dos deuses, transmitindo e interpretando suas comunicações aos seus afortunados ou, com freqüência, desafortunados destinatários.

Em seu significado técnico, muitas vezes se define a hermenêutica como *a ciência e arte de interpretação bíblica.* Considera-se a hermenêutica como ciência porque ela tem normas, ou regras, e essas podem ser classificadas num sistema ordenado. É considerada como arte porque a comunicação é flexível, e portanto uma aplicação mecânica e rígida das regras às vezes distorcerá o verdadeiro sentido de uma comunicação. Exige-se do bom intérprete que ele aprenda as regras da hermenêutica bem como a arte de aplicá-las.

A teoria hermenêutica divide-se, às vezes, em duas subcategorias — a hermenêutica geral e a especial. Hermenêutica geral é o estudo das regras que regem a interpretação do texto bíblico inteiro. Inclui os tópicos das análises histórico-cultural, léxico-sintática, contextual, e teológica. Hermenêutica especial é o estudo das regras que se aplicam a gêneros específicos, como parábolas, alegorias, tipos, e profecia. Os capítulos 3 a 5 focalizam a hermenêutica geral; os capítulos 6 e 7 tratam da hermenêutica especial.

Relação da Hermenêutica com Outros Campos de Estudo Bíblico

A hermenêutica não se encontra isolada de outros campos de estudo bíblico. Ela se relaciona com o estudo do cânon, da crítica textual, da crítica histórica, da exegese, e da teologia bíblica bem como da sistemática.

Dentre esses vários campos de estudo bíblico, a área que conceptualmente precede a todas as demais é o estudo da canonicidade; isto é, a diferenciação entre os livros que trazem o selo da inspiração divina e os que não o trazem. O processo histórico mediante o qual certos livros entraram para o cânon e outros não, é longo mas interessante, e pode ser encontrado alhures. Essencialmente, a fixação do cânon foi um processo histórico no qual o Espírito Santo guiou a igreja no reconhecimento de que certos livros trazem o selo da autoridade divina.

O campo do estudo bíblico que conceptualmente segue o desenvolvimento do cânon é a crítica textual, às vezes referida como baixa crítica. A crítica textual é a tentativa de averiguar o fraseado primitivo de um texto. Tal crítica é necessária porque não possuímos os originais dos manuscritos; temos apenas muitas cópias dos originais, e essas cópias variam entre si. Mediante cuidadosa comparação de um manuscrito com outro, os críticos textuais executam um inestimável serviço, proporcionando-nos um texto bíblico que se aproxima intimamente dos escritos originais dados aos crentes do Antigo e do Novo Testamentos. Um dos mais famosos eruditos que o mundo conhece em assuntos do Novo Testamento, F. F. Bruce, disse com relação a este ponto: "As variantes leituras acerca das quais permanece alguma dúvida entre os críticos textuais do Novo Testamento não afetam nenhuma questão essencial do fato histórico ou da fé e prática cristãs."[1]

O terceiro campo de estudo bíblico é conhecido como histórico, ou alta crítica. Os eruditos neste campo estudam a autoria de um livro, a data de sua composição, as circunstâncias históricas que cercam sua composição, a autenticidade de seu conteúdo, e sua unidade literária.

Muitos dos que se engajaram na alta crítica partiram de pressupostos liberais, e por este motivo os cristãos conservadores muitas vezes equiparam a crítica histórica ao liberalismo. Não há por que ser assim. É possível engajar-se na crítica histórica a partir de pressupostos conservadores. Constituem exemplos as introduções a cada livro da Bíblia encontradas na Harper Study Bible e em outras edições da Bíblia, na Bíblia Anotada de Scofield e nos comentários conservadores. O conhecimento das circunstâncias históricas que cercaram a composição de um livro é de suma importância para uma compreensão adequada de seu significado. O capítulo 3 trata deste tópico.

Somente após um estudo da canonicidade, da crítica textual e da crítica histórica é que o estudioso está preparado para fazer exegese. Exegese é a aplicação dos princípios da hermenêutica para chegar-se a um entendimento correto do texto. O prefixo *ex* ("fora de", "para fora", ou "de") refere-se à idéia de que o intérprete está tentando derivar seu entendimento *do* texto, em vez de ler seu significado *no* ("para dentro") texto (eisegese).

Seguindo a exegese estão os campos gêmeos da teologia bíblica e da teologia sistemática. Teologia bíblica é o estudo da revelação divina no Antigo e no Novo Testamentos. Ela indaga: "Como foi que esta revelação específica contribuiu para o conhecimento que os crentes já possuíam naquele tempo?" Tenta mostrar o desenvolvimento do conhecimento teológico através dos tempos do Antigo e do Novo Testamentos.

Contrastando com a teologia bíblica, a teologia sistemática organiza os dados bíblicos de uma maneira lógica antes que histórica. Tenta reunir toda a informação sobre determinado tópico (e.g., a natureza de Deus, a natureza da vida no além, o ministério dos anjos) de sorte que possamos entender a totalidade da revelação de Deus a nós sobre esse tópico. A teologia bíblica e a sistemática são campos complementares; juntas elas nos proporcionam maior entendimento do que qualquer uma delas isoladamente.

O diagrama abaixo resume a discussão anterior e mostra o papel decisivo e central que a hermenêutica desempenha no desenvolvimento de uma teologia adequada.

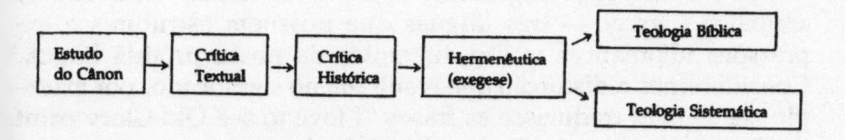

Estudo do Cânon → Crítica Textual → Crítica Histórica → Hermenêutica (exegese) → Teologia Bíblica / Teologia Sistemática

A Necessidade da Hermenêutica

Nossa compreensão do que ouvimos ou lemos é geralmente espontânea, pois as normas pelas quais interpretamos o significado ocorrem automática e inconscientemente. Quando algo bloqueia essa compreensão espontânea do significado, tornamo-nos mais cônscios dos processos que usamos para compreender (por exemplo, quando se traduz de uma língua para outra). A hermenêutica é, em essência, uma codificação dos processos que normalmente empregamos em um nível consciente para entender o significado de uma comunicação. Quanto mais bloqueios à compreensão espontânea, tanto maior a necessidade da hermenêutica.

Quando interpretamos as Escrituras, há diversos bloqueios a uma compreensão espontânea do significado primitivo da mensagem. Há um abismo histórico no fato de nos encontrarmos largamente separados no tempo, tanto dos escritores quanto dos primitivos leitores. A antipatia de Jonas pelos ninivitas, por exemplo, assume maior significado quando entendemos a extrema crueldade e pecaminosidade do povo de Nínive.

Em segundo lugar, existe um abismo cultural, resultante de significativas diferenças entre a cultura dos antigos hebreus e a nossa. Harold Garfinkel, o controverso sociólogo e fundador da etnometodologia, acha que é impossível um observador ser objetivo e imparcial no estudo de um fenômeno (em nosso caso o estudo da Bíblia). Cada um de nós vê a realidade através de olhos condicionados pela cultura e por uma variedade de outras experiências. Para usar uma analogia predileta de Garfinkel, é impossível estudar pessoas ou fenômenos como se estivéssemos olhando para um peixe num aquário de uma posição fora do aquário: cada um de nós está dentro do seu próprio aquário.

Aplicada à hermenêutica, a analogia sugere que somos peixinhos dourados em um aquário (nosso próprio tempo e cultura) olhando para peixinhos dourados em outro aquário (tempos e cultura bíblicos). A falha em reconhecer aquele ambiente cultural ou o nosso próprio, ou as diferenças entre os dois, pode resultar em grave compreensão errônea do significado das palavras e ações bíblicas. Nos capítulos 3 e 8 voltaremos a este assunto.

Um terceiro bloqueio à compreensão espontânea da mensagem bíblica é a diferença lingüística. A Bíblia foi escrita em hebraico, aramaico e grego — três línguas que possuem estruturas e expressões idiomáticas muito diferentes da nossa própria língua. Consideremos a distorção que resultaria no significado, por exemplo, se alguém traduzisse as frases "I love to see Old Glory paint the breeze" para outra língua deixando de reconhecer a presença das expressões "Old Glory" e "paint the breeze". ("Old Glory" refere-se à bandeira dos Estados Unidos; "paint the breeze" é ondular ou drapejar ao toque da brisa; traduzida ao pé da letra, teríamos: "Gosto de ver a Velha Glória pintar a brisa." No entanto, a tradução que faz sentido seria: "Gosto de ver a Bandeira dos Estados Unidos tremulando ao vento." — N. do T.) A mesma coisa pode acontecer ao traduzir-se de outras línguas se o leitor ignorar que frases como "o Senhor endureceu o coração de Faraó" podem conter expressões idiomáticas que dão ao sentido primitivo desta frase algo diferente daquele comunicado pela tradução literal.

Um quarto bloqueio significativo é a lacuna filosófica. Opiniões acerca da vida, das circunstâncias, da natureza do Universo diferem entre as várias culturas. Para transmitir validamente uma mensagem de uma cultura para outra, o tradutor ou leitor deve estar ciente tanto das similaridades como dos contrastes das cosmovisões.

Portanto, a hermenêutica é necessária por causa das lacunas históricas, culturais, lingüísticas e filosóficas que obstruem a compreensão espontânea e exata da Palavra de Deus.

Opiniões Alternativas de Interpretação

A opinião acerca da inspiração que um estudioso da Bíblia sustente tem implicações diretas para a hermenêutica. Nesta seção ofereço apenas uma introdução muito simplificada das três perspectivas a respeito da inspiração.

A posição liberal típica sobre a inspiração é que os escritos bíblicos foram inspirados mais ou menos no mesmo sentido em que o foram Shakespeare e outros grandes escritores. O que eles transcreveram foram primitivas concepções religiosas hebraicas a respeito de Deus e de suas ações. Grande parte da ênfase desta posição reside no desenvolvimento de teorias de como os redatores juntaram partes de manuscritos antigos de escritos anteriores, e o que essas compilações revelam sobre a crescente consciência espiritual dos compiladores.

Dentro da escola neo-ortodoxa há tanta variação sobre o tópico da inspiração que nenhuma generalização pode incluir exatamente todos os pontos de vista. Contudo, a maioria crê que Deus se revelou somente em atos poderosos, e não em palavras. As palavras das Escrituras atribuídas a Deus são a forma como os homens entenderam o significado das ações divinas. A Bíblia *torna-se* a Palavra de Deus quando os indivíduos a lêem e as palavras adquirem para eles significado pessoal, existencial. A ênfase deste ponto de vista está no processo de desmitologizar, isto é, remover o evento mitológico que foi usado para transmitir a verdade existencial, de sorte que o leitor possa ter um encontro pessoal com essa verdade.

A perspectiva ortodoxa da inspiração é que Deus operou por intermédio das personalidades dos escritores bíblicos de tal modo que, sem suspender seus estilos pessoais de expressão ou liberdade, o que eles produziram foi literalmente "soprado por Deus" (2 Timóteo 3:16; grego: *theopneustos*). A ênfase do texto é que a própria Bíblia, e não só os escritores, foi inspirada ("Toda Escritura é inspirada por Deus"). Se somente os escritores tivessem sido inspirados, seria possível argumentar que seus escritos foram contaminados pela interação da mensagem com suas próprias concepções primitivas e idiossincráticas. Todavia, o ensino de 2 Timóteo 3:16 é que Deus guiou os autores bíblicos de tal modo que seus *escritos* trazem o selo da "inspiração" divina.

Baseada em versículos como 2 Timóteo 3:16 e 2 Pedro 1:21, a opinião cristã ortodoxa é que a Bíblia é um depósito de verdade objetiva. Diferente da posição neo-ortodoxa que concebe a Bíblia como tornando-se a Palavra de Deus quando adquire significado existencial pessoal, a posição ortodoxa é que a Bíblia é e sempre permanecerá um repositório da verdade, quer a leiamos e nos apropriemos dela pessoalmente, quer não. Para os cristãos ortodoxos, pois, as técnicas hermenêuticas possuem grande importância, porque elas nos dão um meio de descobrir mais exatamente as verdades que cremos que a Bíblia possui.

Problemas Controversos na Hermenêutica Contemporânea

Antes de passarmos ao exame da história e depois aos princípios da hermenêutica bíblica, devemos familiarizar-nos com alguns dos problemas centrais, não obstante controversos, na hermenêutica. Do mesmo modo que a perspectiva da inspiração afeta o método exegético do leitor, assim também estes cinco problemas afetam a hermenêutica.

Validez na Interpretação

Talvez a pergunta mais fundamental em hermenêutica seja: "É possível dizer o que constitui o significado válido de um texto?" Ou há multíplices significados válidos? Se houver mais de um, são alguns mais válidos do que outros? Nesse caso, que critérios se podem usar para distinguir as interpretações mais válidas das menos válidas? Para experimentar os problemas importantes levantados por essas perguntas, considere o problema de Naphtunkian.

Introdução à Hermenêutica Bíblica 15

PC1: O Dilema de Naphtunkian

Situação: Certa vez você escreveu uma carta a um amigo íntimo. A caminho do seu destino o serviço postal perdeu sua mensagem, e ela permaneceu perdida durante os dois mil anos seguintes, em meio a guerras nucleares e a outras transições históricas. Um dia ela é descoberta e recuperada. Três poetas da sociedade contemporânea de Naphtunkian traduzem sua carta separadamente, mas por infelicidade chegam a três significados diferentes. "O que isto significa para mim", diz Tunky I, "é. . ." "Discordo", diz Tunky II. "O que isto significa para mim é. . ." "Vocês dois estão errados", alega Tunky III. "Minha interpretação é que é a correta."

Resolução: Como um observador imparcial que vê a controvérsia da perspectiva celestial onde você agora está (assim esperamos), que conselho você gostaria de dar aos Tunkys para resolver as diferenças? Admitiremos que você foi um escritor razoavelmente claro na exposição de suas idéias.

a. É possível que sua carta tenha, realmente, mais de um significado válido? Se a sua resposta for "Sim", passe para a letra (b). Se for "Não", passe para (c).

b. Se a sua carta pode ter uma variedade de sentidos, existe algum limite quanto ao número de significados? Se houver um limite, que critérios você proporia para diferençar entre os significados válidos e inválidos?

c. Se a sua carta contiver somente um significado válido, que critérios usaria você para discernir se a melhor interpretação é a de Tunky I, II, ou III?

Se você concluir que a interpretação de Tunky II é superior, de que modo justificaria sua opinião perante Tunky I e III?

Se você não passou pelo menos quinze minutos tentando ajudar os Tunkys a resolver o problema, volte e veja o que pode fazer para ajudá-los. O problema com o qual eles lutam é, provavelmente, o mais decisivo de toda a hermenêutica.

E. D. Hirsch, em seu livro *Validity in Interpretation*, discute a filosofia que vem obtendo aceitação desde a década de 1920 — e que "o significado de um texto é o que ele significa para mim". Conquanto anteriormente a crença predominante havia sido a de que um texto significa o que seu autor quis dizer, T. S. Eliot e outros sustentaram que "a melhor poesia é impessoal, objetiva e autônoma; que leva uma vida própria depois de escrita, totalmente separada da vida de seu autor".[2]

Tal crença, favorecida pelo relativismo de nossa cultura contemporânea, cedo influenciou a crítica literária em áreas outras além da poesia. O estudo "do que diz um texto" tornou-se o estudo "do que ele diz a um crítico individual".³ Tal crença não deixava de ter as suas dificuldades, conforme Hirsch ressalta de maneira convincente:

> Quando os críticos baniram o primitivo autor, eles próprios usurparam-lhe o lugar [como quem determina o significado], e isto levou infalivelmente a algumas das confusões teoréticas da época presente. Onde antes havia tão-só um autor [um determinante do significado], surgiu agora uma multiplicidade deles, cada qual trazendo consigo tanta autoridade quanto o seguinte. Banir o primitivo autor como o determinador do significado era rejeitar o único princípio normativo obrigatório que poderia emprestar validade a uma interpretação. . . Porque se o significado de um texto não é o do autor, então não há interpretação que possa corresponder ao significado do texto, uma vez que o texto não pode ter significado determinado ou determinável.⁴

No estudo da Bíblia, a tarefa do exegeta é determinar tão intimamente quanto possível o que *Deus* queria dizer em determinada passagem, e não o que ela significa para mim. Se aceitamos o ponto de vista de que o sentido de um texto é o que ele significa para mim, então a Palavra de Deus pode ter tantos significados quantos forem os seus leitores. Também não temos motivo algum para dizer que a interpretação ortodoxa de uma passagem é mais válida do que uma interpretação herética: na verdade, a distinção entre interpretações ortodoxas e heréticas já não fará sentido.

A esta altura pode ser útil distinguir entre interpretação e aplicação. Dizer que um texto tem uma interpretação válida (o significado pretendido pelo *autor*) não quer dizer que o que ele escreveu tem somente uma aplicação possível. Por exemplo, a ordem em Efésios 4:27 ("Nunca vos deitando zangados para não dardes este tipo de oportunidade ao Diabo", *Phillips*), tem um significado, mas pode ter múltiplas aplicações, dependendo de estar o leitor irado com seu empregador, ou com a esposa, ou com os filhos. De igual maneira a promessa de Romanos 8 de que nada "poderá separar-nos do amor de Deus" tem um significado, mas terá diferentes aplicações (neste caso, significados emocionais), dependendo da situação especial de vida que a pessoa está enfrentando.

A posição que os eruditos tomam nesta questão da validade da interpretação influencia-lhes a exegese. Trata-se, pois, de um problema decisivo para o estudo da hermenêutica.

Dupla Autoria e Sensus Plenior

A segunda controvérsia no campo da hermenêutica é a questão do duplo autor. A posição ortodoxa da Bíblia é a de autoria confluente; isto é, os autores humano e divino trabalharam juntos (fluíram juntos) para produzir o texto inspirado. Este problema suscita estas perguntas importantes: "Que significado tinha em mente o autor humano?" "Que significado tencionava dar o autor divino?" "O significado pretendido pelo autor divino excedia o do autor humano?"

A questão de saber se a Bíblia tem ou não um sentido mais pleno (referido como *sensus plenior*) do que o pretendido pelo autor humano tem sido alvo de debate durante séculos. Donald A. Hagner analisa o caso da seguinte forma:

> Estar cônscio do *sensus plenior* é reconhecer que existe a possibilidade de uma passagem do Antigo Testamento ter mais de um significado do que era conscientemente evidente ao primitivo autor, e mais do que se pode obter pela estrita exegese gramático-histórica. A natureza da inspiração divina é tal que os próprios autores das Escrituras muitas vezes não estiveram conscientes do mais pleno significado e da aplicação final do que escreveram. Este sentido mais pleno do Antigo Testamento só pode ser visto em retrospecto e à luz do cumprimento do Novo Testamento.[5]

Diversos argumentos são usados em apoio de uma posição de *sensus plenior*, incluindo os seguintes: (1) 1 Pedro 1:10-12 parece sugerir que os profetas do Antigo Testamento às vezes falaram coisas que eles não entendiam; (2) Daniel 12:8 parece indicar que Daniel não entendia o significado de todas as visões proféticas que lhe foram dadas; e (3) parece improvável que seus contemporâneos tivessem compreendido diversas profecias (e.g., Daniel 8:27; João 11:49-52).

Os que contestam a posição de *sensus plenior* argumentam da seguinte maneira: (1) A aceitação da idéia de duplos significados nas Escrituras pode franquear o caminho para todo o tipo de interpretações eisegéticas; (2) a passagem de 1 Pedro 1:10-12 pode ser entendida com o significado de que os profetas do Antigo

Testamento ignoravam somente o *tempo* do cumprimento de suas predições, mas não o *significado* destas; (3) em alguns casos os profetas entenderam o significado de suas predições, mas não suas implicações plenas (e.g., em João 11:50 Caifás *entendeu* ser melhor que um homem morresse pelo povo do que a nação inteira perecesse, mas não entendeu as implicações de sua profecia); e (4) em alguns casos os profetas teriam entendido o significado de sua profecia mas não a situação histórica à qual se referia.

A controvérsia sobre o *sensus plenior* é um desses problemas sem solução provável antes de entrarmos na eternidade. No capítulo 7 discutiremos mais plenamente a interpretação da profecia. Talvez um critério orientador que a maioria dos que se acham em ambos os lados do problema possa aceitar é o seguinte: qualquer passagem que pareça ter um significado mais completo do que é provável tenha sido abrangido pelo autor humano só deve ser assim interpretada quando Deus, mediante revelação posterior, tiver declarado expressamente a natureza do significado que ele tinha em mente.

**Interpretações das Escrituras
Literal, Figurativa, e Simbólica**

O terceiro problema controverso na hermenêutica contemporânea é a literalidade com a qual interpretamos palavras da Bíblia. Conforme acentua Ramm, os cristãos conservadores às vezes são acusados de "literalistas cabeça-dura" em suas interpretações.[6] Seus irmãos teologicamente mais liberais alegam que incidentes como a queda do homem, o dilúvio, e a história da viagem submarina de Jonas deveriam ser entendidos como metáforas, símbolos e alegorias, e não como acontecimenos históricos reais. Uma vez que todas as palavras são símbolos que representam idéias, dizem esses liberais, não deveríamos buscar aplicar essas palavras num sentido estritamente literal.

Os teólogos conservadores concordam em que as palavras podem ser usadas em sentidos literal, figurativo, ou simbólico. As três sentenças seguintes servem-nos de exemplo:

1. *Literal:* Foi colocada na cabeça do rei uma coroa cintilante de jóias.
2. *Figurativo:* (Um pai bravo com o filho) "Na próxima vez que me chamar de coroa você vai ver estrelas ao meio-dia."
3. *Simbólico:* "Viu-se grande sinal no céu, a saber, uma mulher vestida do sol com a lua debaixo dos pés e uma coroa de doze estrelas na cabeça" (Apocalipse 12:1).

A diferença entre os três empregos da palavra *coroa* não está no fato de que um sentido se refere a acontecimentos históricos reais enquanto os outros não. As expressões literais e figurativas, de modo geral se referem a acontecimentos históricos reais, como Joãozinho (sentença nº 2) poderia testificar se voltasse a chamar o pai de coroa. A relação entre as idéias que as palavras expressam e a realidade é direta, e não simbólica. Contudo, as idéias expressas em linguagem simbólica (e.g., a literatura alegórica e apocalíptica) também, com freqüência, têm referentes históricos. Assim, a mulher de Apocalipse 12:1 pode significar a nação de Israel, e as doze estrelas representam as doze tribos, a lua representa a revelação do Antigo Testamento, e o sol a luz da revelação do Novo Testamento.

Os problemas surgem quando os leitores interpretam as declarações de um modo diverso daquele que o autor tinha em mente. Quanta distorção do significado do autor resulta quando se interpreta figurativamente uma declaração literal e quando se interpreta literalmente uma declaração figurativa. Se Joãozinho crê que vai receber prêmio na próxima vez que faltar com o respeito ao pai, ele vai ter uma surpresa com a qual não contava. E os que assistem à coroação do rei (sentença nº 1) ficariam igualmente surpresos ao ver a coroa cravejada de pedras preciosas colocada em lugar indevido.

Se todas as palavras são, em algum sentido, símbolos, como determinar-se quando devem ser entendidas literalmente, ou figurativamente, ou simbolicamente? O teólogo conservador responderia que aqui se aplica o mesmo critério para determinar a interpretação válida de todos os demais tipos de literatura, a saber, que as palavras devem ser interpretadas de acordo com a intenção do autor. Se o autor pretendia que fossem interpretadas literalmente, erramos se as interpretamos simbolicamente. Se ele queria que fossem interpretadas simbolicamente, erramos de igual modo se as interpretamos literalmente. O princípio é mais fácil de formular do que de aplicar; contudo, como demonstraremos em capítulos posteriores, o contexto e a sintaxe proporcionam importantes pistas para a intenção e, portanto, para o significado.

Fatores Espirituais no Processo Perceptivo

O quarto problema controverso na hermenêutica contemporânea é o que visa saber se os fatores espirituais afetam ou não a capacidade de perceber com precisão as verdades contidas nas Escrituras. Uma escola de pensamento sustenta que se duas pessoas de igual preparo intelectual (pessoas instruídas nas línguas originais, história, cultura, etc.), fazem hermenêutica, ambas serão de igual modo bons intérpretes.

A posição da segunda escola de pensamento é de que a própria Bíblia ensina que o compromisso espiritual, ou sua ausência, influencia a capacidade de perceber a verdade espiritual. Romanos 1:18-22 descreve o resultado de uma supressão contínua da verdade como um entendimento obscurecido. A sabedoria e os dons de que fala 1 Coríntios 2:6-14 são posse potencial do crente, mas o indivíduo não-regenerado não os possui. Efésios 4:17-24 fala da cegueira às realidades espirituais de uma pessoa que vive segundo a velha natureza, e das novas realidades abertas ao crente. A declaração de 1 João 2:11 é de que o homem que abriga ódio experimenta uma cegueira resultante desse ódio. Com base em passagens como essas, este ponto de vista crê que a cegueira espiritual e o entendimento obscurecido obstam a capacidade do indivíduo de discernir a verdade, independente do conhecimento que ele tenha e da aplicação dos princípios hermenêuticos.

Este problema é mais importante para a hermenêutica do que de início possa parecer. Se, por um lado, como asseverado anteriormente, o significado das Escrituras deve ser encontrado num estudo cuidadoso das palavras, da cultura e da história de seus autores, então para onde dirigir-nos a fim de encontrar esta dimensão maior de discernimento espiritual? Se dependermos das intuições espirituais dos irmãos na fé para obter novos discernimentos, cedo terminaremos numa desesperada confusão porque já não temos quaisquer princípios normativos para comparar a validade de uma intuição com outra. Por outro lado, a idéia alternativa de que se pode encontrar o significado da Escritura dominando-se os pré-requisitos do conhecimento e das técnicas exegéticas, sem considerar a condição espiritual, parece contraditar os versículos acima citados.

A hipótese que tenta resolver esta dificuldade baseia-se numa definição do termo *conhecer*. Segundo a Bíblia, as pessoas realmente não possuem conhecimento, a menos que estejam vivendo na luz desse conhecimento. A verdadeira fé não é apenas conhecimento acerca de Deus (o que até os demônios possuem), mas conhecimento que serve de base para a ação. O incrédulo pode *conhecer* (compreender intelectualmente) muitas das verdades bíblicas empregando os mesmos meios de interpretação que empregaria com textos não-bíblicos, mas ele não pode *conhecer* verdadeiramente (atuar de acordo e de modo apropriado) essas verdades enquanto permanecer em rebelião contra Deus.

Esta hipótese necessita, contudo, de um ligeiro corretivo. Uma experiência comum exemplifica o ponto em questão: Empenhamo-nos em determinado curso de ação e depois usamos atenção seletiva para concentrar-nos nos dados que apóiam nossa decisão ou para minimizar os dados que argumentariam contra ela. O mesmo princípio pode aplicar-se ao pecado na vida de uma pessoa. A Bíblia ensina que a rendição ao pecado torna-nos escravos dele e cega-nos à justiça (João 8:34; Romanos 1:18-22; 6:15-19; 1 Timóteo 6:9; 2 Pedro 2:19). Dessa maneira, os princípios bíblicos da verdade, disponíveis mediante a aplicação das mesmas técnicas da interpretação textual empregados com textos não-bíblicos, tornam-se cada vez menos claros àquele que de contínuo rejeita essas verdades. Daí que os incrédulos não *conhecem* o significado pleno do ensino bíblico, não porque esse significado não esteja a eles disponível nas palavras do texto, mas porque se recusam a atuar de acordo e de modo apropriado com as verdades espirituais para suas próprias vidas. Além do mais, os resultados psicológicos de tal recusa os torna cada vez menos capazes (e dispostos) de compreender essas verdades.

Concluindo, esta perspectiva moderada sugere que o significado da Palavra de Deus está contido nas palavras de sua autoria, e que é desnecessário recorrer a intuições espirituais que não têm o apoio de um entendimento dessas palavras. Um dos ministérios do Espírito Santo é a obra de iluminação, de ajudar os crentes a entender o pleno significado das palavras da Bíblia. Não é necessário que o conceito de iluminação vá além da obra do Espírito Santo de explicar o significado pleno do texto; de fato, se estendemos nossa definição de iluminação além deste ponto, não temos nenhuma base logicamente coerente para discriminar o significado divinamente tencionado das intuições e adições de mil intérpretes diferentes.

A Questão da Inerrância

De todos os problemas controversos com implicações para a hermenêutica, provavelmente um dos mais importantes debatidos pelos evangélicos hoje é o da inerrância bíblica. Este problema tem dividido os evangélicos (os que acentuam a importância da salvação pessoal mediante Jesus Cristo) em dois grupos, aos quais Donald Masters chamou de evangélicos conservadores e evangélicos liberais. *Evangélicos conservadores* são os que crêem que a Bíblia é totalmente sem erro; os *evangélicos liberais* crêem que a Bíblia é sem erro toda vez que ela fala sobre questões da salvação e da fé cristã, mas pode possuir erros nos fatos históricos e noutros pormenores.

Há vários motivos pelos quais o problema da inerrância é importante para os evangélicos. Primeiro, se a Bíblia erra quando trata de questões não essenciais à salvação, então ela pode incidir em erro toda vez que fala da natureza do homem, das relações interpessoais e familiares, dos comportamentos sexuais, da vontade e das emoções, e de uma hoste de outros problemas relacionados com o viver cristão. Uma Bíblia que erra pode ser apenas um reflexo da filosofia e psicologia hebraicas antigas, com pouca coisa para oferecer-nos. Segundo, conforme a história da igreja tem repetidamente demonstrado, os grupos que começam por questionar a validade de pequenos detalhes bíblicos, finalmente questionam também doutrinas maiores. Muitos observadores atuais têm visto repetir-se este padrão: a aceitação de uma passagem bíblica errante em assuntos periféricos logo se faz seguir da alegação de que a Escritura erra em ensinos mais centrais.

O problema da inerrância é importante, também, no campo da hermenêutica. Se partirmos do pressuposto de que a Bíblia contém erros, e então encontrarmos uma aparente discrepância entre dois ou mais textos, talvez nossa decisão seja de que um deles está errado, ou ambos. Se partirmos do pressuposto de que a Bíblia não contém erros, nossa motivação será no sentido de encontrar um modo exegeticamente justificável de resolver qualquer aparente discrepância. Os resultados diferentes a que chegamos em virtude das pressuposições tomadas por base tornam-se sobremaneira evidentes na parte da hermenêutica chamada "análise teológica" (veja o capítulo 5, Análise Teológica), que consiste essencialmente em comparar um texto dado com outros que tratam do mesmo assunto. O tratamento que dermos à análise teológica diferirá de acordo com nossa suposição de que o ensino dos vários textos, adequadamente interpretados, representa uma unidade de pensamento, ou de que tais textos podem representar uma diversidade de pensamento ocasionada pela inclusão de erros. Em virtude da importância que este problema representa para a hermenêutica, na última parte deste capítulo examinaremos os argumentos apresentados no debate da inerrância.

Jesus e a Bíblia

Se Jesus Cristo é, como cremos, o Filho de Deus, então sua atitude para com a Bíblia nos proporcionará a melhor resposta à questão da inerrância. Encontramos uma análise completa no livro de John W. Wenham, *Cristo e a Bíblia*. Apresentamos a seguir alguns pontos resumidos.

Primeiro, Jesus foi uniforme no trato das narrativas históricas do Antigo Testamento como registros fiéis do fato. Wenham observa:

[Cristo] fez referências a: Abel (Lucas 11:51); Noé (Mateus 24:37-39; Lucas 17:26, 27); Abraão (João 8:56); instituição da circuncisão (João 7:22; cf. Gênesis 17:1012; Levítico 12:3); Sodoma e Gomorra (Mateus 10:15; 11:23, 24; Lucas 10:12); Ló (Lucas 17:28-32); Isaque e Jacó (Mateus 8:11; Lucas 13:28); o maná (João 6:31, 49, 58), a serpente no deserto (João 3:14); Davi comendo os pães da proposição (Mateus 12:3, 4; Marcos 2:25, 26; Lucas 6:3, 4) e como autor de salmos (Mateus 22:43; Marcos 12:36; Lucas 20:42); Salomão (Mateus 6:29; 12:42; Lucas 11:31; 12:27); Elias (Lucas 4:25, 26); Eliseu (Lucas 4:27); Jonas (Mateus 12:39-41; Lucas 11:29, 30, 32); Zacarias (Lucas 11:51). Esta última passagem revela seu sentido da unidade da história e sua compreensão do âmbito dos fatos que ela descreve. Seus olhos percorrem todo o curso da história "desde a fundação do mundo" até "esta geração". Há repetidas referências a Moisés como o legislador (Mateus 8:4; 19:8; Marcos 1:44; 7:10; 10:5; 12:26; Lucas 5:14; 20:37; João 5:46; 7:19); os sofrimentos dos profetas também são mencionados com freqüência (Mateus 5:12; 13:57; 21:34-36; 23:29-37; Marcos 6:4 [cf. Lucas 4:24; João 4:44]; 12:2-5; Lucas 6:23; 11:47-51; 13:34; 20:10-12; e há uma referência à popularidade dos falsos profetas (Lucas 6:26). Ele apõe o selo de sua aprovação sobre passagens em Gênesis 1 e 2 (Mateus 19:4, 5; Marcos 10:6-8).

Conquanto essas citações sejam tomadas por nosso Senhor mais ou menos ao acaso de diferentes partes do Antigo Testamento, e alguns períodos da história sejam cobertos mais amplamente do que outros, é evidente que ele conhecia a maior parte do Antigo Testamento e que ele tratava tudo igualmente como história.

Segundo, muitas vezes Jesus escolheu como base de seu ensino as mesmas histórias que a maioria dos críticos modernos considera inaceitáveis (e.g., o dilúvio de Noé — Mateus 24:37-39; Lucas 17:26, 27; Sodoma e Gomorra — Mateus 10:15; 11:23, 24; a história de Jonas — Mateus 12:39-41; Lucas 11:29-32).

Terceiro, Jesus usou com regularidade as Escrituras do Antigo Testamento como o competente tribunal de apelação em suas controvérsias com os escribas e fariseus. Sua queixa contra eles não era darem demasiado crédito às Escrituras, mas por haverem, em virtude do casuísmo de seus rabinos, distorcido os ensinos claros e revestidos de autoridade nelas contido.

Quarto, Jesus ensinou que nada passaria da lei até que tudo se cumprisse (Mateus 5:17-20) e que a Escritura não pode falhar (João 10:35).

Finalmente, Jesus usou as Escrituras ao refutar cada uma das tentações de Satanás. É digno de nota que *tanto Jesus como Satanás* aceitaram as afirmativas bíblicas como argumentos contra os quais não havia contestação (Mateus 4:4-11; Lucas 4:4-13).

Não parece que Jesus tenha feito distinção entre a validade e precisão das questões revelatórias e as não-revelatórias (histórias incidentais). Sua atitude, conforme a registram os Evangelhos, parece ser de aceitação inquestionável. Lindsell mostra que até os eruditos liberais e neo-ortodoxos, que negam a inerrância bíblica, concordam em que Jesus considerou as Escrituras como infalíveis.[7] Kenneth Kantzer analisa o testemunho desses eruditos liberais:

> H. J. Cadbury, professor da Universidade de Harvard e um dos mais extremados críticos do Novo Testamento da geração passada, declarou que estava muito mais seguro, como mero fato histórico, de que Jesus sustentava o ponto de vista comum judaico de uma Bíblia infalível, do que ele cria em seu próprio messiado. Adolph Harnack, o maior historiador eclesiástico dos tempos modernos, insiste em que Cristo tinha uma só perspectiva com seus apóstolos, com os judeus, e com toda a igreja primitiva quanto à autoridade infalível da Bíblia. João Knox, autor do que é, talvez, a mais altamente considerada vida de Cristo dos tempos recentes, declara que não pode haver dúvida de que o próprio Senhor ensinava esta opinião acerca da Bíblia.
>
> Rudolph Bultmann, um anti-supernaturalista radical, mas reconhecido por muitos como o maior estudioso do Novo Testamento dos tempos modernos, afirma que Jesus aceitava a noção comum de seus dias no que tange à infalibilidade da Escritura.[8]

Escreveu Bultmann:

> Jesus sempre esteve de acordo com os escribas de seu tempo em aceitar sem questionamento a autoridade da Lei [Antigo Testamento]. Quando o jovem rico lhe perguntou: "que farei para herdar a vida eterna?", ele res-

pondeu: "Sabes os mandamentos", e repetiu o conhecidíssimo Decálogo do Antigo Testamento... Jesus não atacou a Lei, mas admitiu sua autoridade e a interpretou.

As palavras de J. I. Packer resumem muito do que foi dito e colocam a questão em perspectiva:

> O fato que temos de enfrentar é que Jesus Cristo, o Filho de Deus encarnado, que reivindicou autoridade divina para tudo quanto fez e ensinou, tanto confirmou a autoridade absoluta do Antigo Testamento para os outros como ele próprio se submeteu a ela sem reservas.....Se, portanto, aceitamos as reivindicações de Cristo, comprometemo-nos a crer em tudo o que ele ensinou — por sua autoridade. Se nos recusamos a aceitar alguma parte do que ele ensinou, estamos, com efeito, negando-o como o Messias divino — por nossa própria autoridade.[9]

Objeções e Respostas

Ainda que os Evangelhos retratem Jesus como tendo fé indiscutível na validade e autoridade da Escritura, há escritores e teólogos que sustentam que os cristãos já não têm necessidade de aceitar esta postura. A literatura sobre este assunto cita, geralmente, nove objeções principais apresentadas pelos que sustentam um ponto de vista da errância das Escrituras. Tais objeções são analisadas em poucas palavras logo abaixo. Análises mais completas podem ser encontradas nas referências anotadas e nas leituras sugeridas ao final deste capítulo.

Objeção N° 1: É possível que Jesus entendesse e usasse as histórias do Antigo Testamento de uma forma não-literal, pretendendo que fossem entendidas como eventos não-históricos usados apenas com finalidade ilustrativa.

Certamente Jesus fez uso de histórias para esclarecer determinados pontos. Contudo, na maioria dos incidentes que ele cita, as ilustrações fazem mais sentido se entendidas como acontecimentos históricos reais. Por exemplo, Mateus 12:41 atribui a Jesus estas palavras: "Ninivitas se levantarão no juízo com esta geração, e a condenarão; porque se arrependeram com a pregação de Jonas. E eis aqui está quem é maior do que Jonas." T. T. Perowne comenta: "É possível entender uma referência como esta ao livro de Jonas na base da teoria não-histórica?.... [Devemos] supor que ele [Cristo] diga que pessoas imaginárias que com a pregação imaginária de um profeta imaginário arrependeram-se em imaginação, levantar-se-ão naquele dia e condenarão a verdadeira impenitência dos seus ouvintes reais [?]"¹⁰

O argumento que Jesus usou em sua discussão com os saduceus com respeito à ressurreição (Marcos 12:18-27), por exemplo, não teria força alguma a menos que tanto ele como seus adversários entendessem que Abraão, Isaque e Jacó eram figuras literais, históricas. A reivindicação de Jesus à divindade, pela qual ele quase foi apedrejado (João 8:56-69), contém uma alusão a Abraão que só poderia ter significado se ele e seus adversários reconhecessem Abraão como uma figura histórica. Wenham observa que "à medida que se avança no assunto, cresce em força a impressão de que nosso Senhor entendia as histórias da Bíblia de um modo natural e que seu ensino deve ser tomado bem literalmente."¹¹

Objeção Nº 2: É possível que Jesus soubesse que havia erro na Escritura, mas adaptou seu ensino às opiniões pré-científicas de seu tempo.

Jesus não hesitou em refutar outros aspectos errados da tradição religiosa judaica. Ele foi claro ao repudiar os errôneos conceitos nacionalistas a respeito do Messias, ao ponto de enfrentar a cruz. Ele não tardou para rejeitar o tradicionalismo dos fariseus. Se as Escrituras constituem uma combinação de verdade divina e erro humano, dificilmente Jesus deixaria de repudiar o erro humano.

Além disso, se Jesus sabia que as Escrituras continham erro humano e nunca deu a conhecer este fato aos seus seguidores, antes os desencaminhando por sua atitude insistentemente positiva para com elas, é difícil que ele possa qualificar-se como um grande mestre moral e como o encarnado Deus da verdade.

Objeção Nº 3: Como parte do esvaziamento de si próprio, é possível que Jesus também se esvaziasse do conhecimento de que a Escritura contém erros, e tornou-se produto de seu condicionamento.

A *kenosis* de Cristo é, sem sombra de dúvida, a mais bela história de amor do tempo e da eternidade. A Escritura diz-nos que quando Cristo deixou o céu para se fazer homem, abriu mão de suas riquezas e glória (2 Coríntios 8:9; Filipenses 2:7), de sua imunidade à tentação e às provações (Hebreus 4:15; 5:7, 8), de seus divinos poderes e prerrogativas (Lucas 2:40-52; João 17:4), e de seu perfeito e ininterrupto relacionamento com o Pai ao tomar sobre si os nossos pecados (Mateus 27:46). Não obstante, embora Cristo se esvaziasse de sua glória, de suas riquezas e de muitas de suas prerrogativas divinas, suas próprias palavras deixam claro que esta autolimitação não incluía concessão ao erro. Jesus reivindicou verdade e autoridade completas para seus ensinos (Mateus 7:24-26; Marcos 8:38), incluindo seus ensinos sobre a Bíblia (Mateus 5:17-20; João 10:35). Disse ele: "Passará o céu e a terra, porém as minhas palavras não passarão" (Mateus 24:35; Marcos 13:31; Lucas 21:33).

Objeção Nº 4: As opiniões que Jesus expressou, incluindo seu ponto de vista sobre a Escritura, realmente pertencem aos autores dos Evangelhos mais do que ao próprio Jesus.

Clark Pinnock responde a esta importante objeção numa declaração concisa documentada com diversos estudos importantes e cuidadosos. (Na citação a seguir, suas notas de rodapé estão entre colchetes.)

> Um modo conveniente de evadir a esta evidência é tentar atribuir aos *escritores* dos Evangelhos o ponto de vista bíblico que os Evangelhos atribuem a Jesus. T. F. Torrence, ao avaliar o livro de Warfield sobre inspiração, declarou que os estudos bíblicos têm avançado desde o seu tempo, tornando impossível um apelo às opiniões reais de Jesus [Torrence, *Scottish Journal of Theology*, VII (1954), p. 105]. Esta declaração, desacompanhada de prova exegética ou crítica de qualquer tipo, reflete uma opinião negativa da historicidade dos Evangelhos amplamente sustentada hoje [J. W. Wenham oferece amplos motivos para não submeter os Evangelhos à crítica radical (*Cristo e a Bíblia*). É mais razoável admitir que Jesus criou a comunidade do que admitir que a comunidade criou Jesus.] Em resposta, consideremos dois pontos. A consequência lógica de negar a autenticidade da doutrina de Jesus acerca da Escritura, que permeia todos os nossos canais de informação a respeito dele, leva o indivíduo a total pessimismo concernente a qualquer conhecimento histórico a respeito de Jesus de Nazaré, opinião completamente inaceitável em bases críticas [Jeremias está agora preparado para dizer, com base em suas investigações, que "na tradição sinóptica é a inautenticidade, e não a autenticidade, dos ditos de Jesus que deve ser demonstrada" (*New Testament Theology. The Proclamation of Jesus.* 1971, p. 37)] Além do mais, é muito mais provável que o entendimento e uso das Escrituras por parte de Jesus condicionassem o entendimento e uso dos escritores, e não o inverso. A origi-

nalidade com a qual o Antigo Testamento é interpretado com respeito à pessoa e obra de Jesus é por demais coerente e impressionante para ser secundária. Por certo esta questão merece um tratamento mais completo do que se possa tentá-lo aqui. Não obstante, pouca dúvida há quanto a quais seriam os resultados de tal estudo [Cf. a impressionante obra de R. T. France, *Jesus and the Old Testament*, 1971].[12]

O ensino de Jesus sobre a autoridade da Escritura permeia de tal modo todo o seu ministério que se tivéssemos de desenvolver uma teoria crítica que com êxito removesse dos Evangelhos o ensino de Jesus acerca da Escritura, a aplicação de tal teoria aos Sinópticos nos deixaria incapacitados de fazer *quaisquer* declarações históricas a respeito da pessoa de Jesus Cristo.

Objeção Nº 5: Visto que a inerrância é reivindicada apenas para os autógrafos (manuscritos originais) e nenhum destes existe, a inerrância é uma discussão acadêmica.

O trabalho cuidadoso dos escribas judeus na transmissão do texto e a presente obra da crítica textual combinam-se para dar-nos um texto que reflete com grau muito elevado de precisão os fraseados do original. A vasta maioria de leituras variantes relaciona-se com detalhes gramaticais que não afetam de modo significativo o sentido do texto. Quanto a isto, vale a pena repetir as palavras de F. F. Bruce: "As leituras variantes acerca das quais não resta nenhuma dúvida entre os críticos textuais do Novo Testamento não afetam nenhuma questão essencial do fato histórico ou da fé e prática cristãs."[1] O problema da autoria e da veracidade dos textos bíblicos, conforme os temos hoje, deveria decidir-se sobre outras bases, que não o fato de não possuirmos os autógrafos.

Objeção Nº 6: A inerrância deveria ser reivindicada para os Evangelhos mas não para toda a Bíblia; isto é, a Bíblia é infalível com vistas a questões de fé e prática, a despeito de erros incidentais de fatos históricos e outros.

Daniel Fuller, deão do Seminário Teológico Fuller, é um dos mais destacados contemporâneos patrocinadores desta opinião. Acredita ele que a Bíblia pode dividir-se em duas categorias —a que contém revelação (matérias que tornam os homens sábios para a salvação), e a que não contém revelação (as matérias de ciência, história, e cultura que "facilitam a transmissão da categoria que contém revelação").[14] O argumento de Fuller é que a intenção do autor bíblico era comunicar a verdade acerca de assuntos espirituais (2 Timóteo 3:15-16) e, portanto, não deveríamos reivindicar isenção de erros nas áreas que foram tão só incidentais ao interesse primário do autor.

Embora 2 Timóteo 3:15 de fato ensine que a finalidade primária das Escrituras é ensinar aos homens a verdade espiritual, por certo este versículo não foi escrito com a intenção de ser usado como um bisturi crítico para dividir entre o que é inerrante e o que não o é. O versículo 16 afirma que "Toda Escritura é inspirada por Deus". Nenhum profeta do Antigo Testamento, nem Jesus Cristo, nem outro qualquer escritor do Novo Testamento dão apoio à idéia de que as porções bíblicas que nada têm que ver com eventos de espaço-tempo contêm erros. Se as Escrituras tivessem sua origem no homem, então o condicionamento cultural e o erro humano certamente seriam um fator com o qual contar; contudo, a Bíblia afirma que "nunca jamais qualquer profecia foi dada por vontade humana, entretanto homens (santos) falaram da parte de Deus movidos pelo Espírito Santo" (2 Pedro 1:21). Acrescentando-se a este o ensino de Números 23:19 ("Deus não é homem, para que minta"), parece inescapável a conclusão de que nem Cristo nem a Escritura estabelecem distinção entre dados revelatórios e não revelatórios. Francis Schaeffer argumenta que a dicotomia medieval entre "conhecimento de nível superior e nível inferior" é antibíblica.[15] Os argumentos epistemológicos de John Warwick Montgomery sobre a unidade do conhecimento[16] são também apropriados a este problema para os que desejam estudá-lo de uma perspectiva filosófica.

Objeção N? 7: A questão importante é ter um Cristo que salva, e não apegar-se a uma Escritura inerrante.

Muitas pessoas preferem não se envolver em questões doutrinais e teológicas. Para elas, o importante é um relacionamento salvador com Jesus Cristo, e não vêem relacionamento entre cristologia e outros problemas, nem se preocupam com isso. Harold Lindsell destaca o estreito relacionamento entre cristologia e inerrância: "Se Jesus ensinou a inerrância bíblica, ele sabia que a inerrância era verdadeira, ou sabia que era falsa mas a usou como um instrumento para a ignorância de seus ouvintes, ou ele estava limitado e, sem o saber, sustentava algo que não era verdadeiro."[17]

A aceitação de qualquer das duas últimas opções conduz a uma estranha cristologia. Se Jesus sabia que a inerrância era falsa mas ensinou o contrário, ele foi culpado de impostura e não poderia ter sido um ser sem pecado; portanto, ele era incapaz de prover uma expiação imaculada para nossos pecados. Se o entendimento que Jesus tinha da verdade era tão limitado ao ponto de ele ensinar inverdade, então não temos garantia de que seu ensino sobre outras questões, como a salvação, seja verídico. A única alternativa que nos deixa com nossa cristologia intacta é que Jesus sabia que a Bíblia é inerrante e que o seu conhecimento era correto.

Objeção Nº 8: Algumas passagens bíblicas parecem contradizer-se ou ser contraditadas pela ciência moderna.

Provavelmente todos os crentes já se viram confrontados por textos que parecem difíceis de conciliar-se ou com outros textos ou com as descobertas científicas. Os que se apegam a uma Escritura errante gostam de procurar tais textos e exibi-los para provar sua posição. Todavia, à medida que aumenta nosso conhecimento dos princípios adequados de interpretação, de arqueologia, e de línguas e culturas antigas, uma após outra essas aparentes discrepâncias vão-se resolvendo. Uma das experiências que mais edificam a nossa fé na exatidão das Escrituras é ler diversos exemplos de como textos difíceis têm sido, com o auxílio de contínua investigação científica, demonstrados como corretos.

Objeção Nº 9: Prova-se a inerrância mediante um argumento circular. Os inerrantistas partem do pressuposto de que a Bíblia é infalível, passam a mostrar (baseados no testemunho da própria Bíblia) que tanto Jesus como os escritores consideraram-na infalível, e daí concluem que ela é infalível.

Embora alguns tenham usado um argumento muito semelhante à objeção acima em apoio à sua crença na infalibilidade, R. C. Sproul sugeriu que se pode apresentar um princípio lógico mais rigoroso em favor da infalibilidade bíblica. Damos a seguir uma adaptação do raciocínio de Sproul:

Premissa A: A Bíblia é um documento basicamente confiável e digno de crédito

Premissa B: À base deste documento confiável temos prova suficiente para crer confiantemente que (1) Jesus Cristo reivindicou ser o Filho de Deus (João 1:14, 29, 36, 41, 49; 4:42; 20:28) e (2) que ele forneceu prova suficiente para fundamentar essa reivindicação (João 2:1-11; 4:46-54; 5:1-18; 6:5-13, 16-21; 9:1-7; 11:1-45; 20:30-31).

Premissa C: Jesus Cristo, sendo o Filho de Deus, é uma autoridade inteiramente digna de confiança (i.e., infalível).

Premissa D: Jesus Cristo ensina que a Bíblia é a própria Palavra de Deus.

Premissa E: A Palavra de Deus é completamente digna de confiança porque Deus é perfeitamente digno de confiança.

Conclusão: À base da autoridade de Jesus Cristo, a igreja crê que a Bíblia deve ser totalmente digna de confiança.[18]

Conclusão do Assunto

Quando afirmamos que a Palavra de Deus não contém erro, devemos entender esta declaração do mesmo modo que entenderíamos a declaração de que um relatório ou uma análise especiais são exatos e sem erro. É importante distinguir níveis de precisão intencional. Por exemplo, quase todos nós aceitamos que a população dos Estados Unidos é de 220 milhões, muito embora esta cifra possa, em realidade, estar incorreta por alguns milhões de pessoas. Contudo, tanto o orador como o ouvinte reconhecem que este número é uma aproximação, e quando entendido dentro de seu nível intencional de precisão, não deixa de ser uma declaração verdadeira.

O mesmo princípio se aplica ao entendimento de afirmações bíblicas: devem ser entendidas dentro dos parâmetros de precisão que seus autores tinham em mente. Princípios específicos de interpretação incluem os seguintes:

1. Muitas vezes os números são dados aproximadamente, praxe muito freqüente em comunicação popular.
2. Os discursos e citações podem ser parafraseados em vez de reproduzidos textualmente, prática muito costumeira quando se resumem as palavras de outrem.
3. O mundo pode ser descrito em termos fenomenológicos (como os eventos parecem aos observadores humanos).
4. Os discursos feitos por homens ou por Satanás estão registrados com exatidão sem que isso signifique que era correto o que eles afirmaram.
5. Às vezes um escritor usou fontes para alcançar seu objetivo sem implicar afirmação divina de tudo o mais que essa fonte haja dito.

Essas qualificações são tão universais que as aplicamos a toda comunicação natural, geralmente sem mesmo conscientizar-nos de que estamos assim procedendo. Considera-se exata uma declaração quando ela satisfaz o nível de precisão tencionado pelo escritor e esperado por sua audiência. Um artigo científico, técnico, pode ser muito mais pormenorizado e preciso do que um artigo escrito para o público em geral, mas ambos são exatos quando entendidos dentro do contexto do propósito que tinham em mira. Assim, a afirmação de que Deus é exato e fiel em tudo o que ele diz na Escritura deve ser entendida dentro do contexto do nível de precisão que ele tencionava comunicar.

Os princípios hermenêuticos que estudaremos nos capítulos a seguir são pertinentes, quer tomemos, com relação à Bíblia, uma perspectiva evangélica conservadora, quer liberal. O processo para se determinar o significado que o autor tinha em mente é semelhante para ambos os grupos. As diferenças, quando surgem, provavelmente se relacionem com a *validade* do ensino do autor, antes que com o *conteúdo* de seu ensino. Por exemplo, os evangélicos conservadores e os liberais podem ter um alto nível de acordo com referência ao que Paulo tencionava ensinar; o ponto de discórdia talvez seja a validade do que ele ensinou. Assim, embora minha posição sobre a inerrância seja evangélica conservadora, os princípios hermenêuticos apresentados nos capítulos seguintes concernem também aos que adotam uma perspectiva evangélica liberal da Escritura.

Resumo do Capítulo

Hermenêutica é a ciência e arte da interpretação bíblica. Hermenêutica geral é o estudo das regras que regem a interpretação do texto bíblico inteiro. Hermenêutica especial é o estudo das normas que regulam a interpretação de formas literárias específicas, como parábolas, tipos e profecia.

A hermenêutica (exegese aplicada) desempenha um papel essencial no processo do estudo teológico. O estudo da canonicidade visa a determinar quais livros trazem o selo da inspiração divina e quais não o trazem. A crítica textual procura averiguar o fraseado primitivo de um texto. A crítica histórica estuda as circunstâncias contemporâneas que cercam a composição de determinado livro.

A exegese é uma aplicação dos princípios da hermenêutica à compreensão do significado que o autor pretendia dar. A teologia bíblica organiza os significados de uma forma histórica enquanto a teologia sistemática dispõe esses significados em forma lógica.

A hermenêutica é, fundamentalmente, uma codificação dos processos que em geral usamos num nível inconsciente para entender o significado que outra pessoa tencionava transmitir. Somente quando algo bloqueia nosso entendimento espontâneo da mensagem de outrem é que reconhecemos a necessidade de algum método de compreender o que tal pessoa pretendia dizer. Os bloqueios ao entendimento espontâneo da comunicação de outra pessoa surgem quando há diferenças de história, cultura, língua, ou filosofia entre nós e aquele que fala.

Diversos problemas influenciam a maneira como o indivíduo "fará" hermenêutica. Devemos decidir se a Escritura representa a teorização religiosa dos antigos hebreus, escritos humanos divinamente guiados mas não infalíveis, ou escritos divinamente guia-

Introdução à Hermenêutica Bíblica

dos e infalíveis, obra de homens mas de iniciativa e supervisão divinas.

É preciso decidir também se um texto possui um único significado válido, ou se qualquer aplicação individual de um texto representa um significado válido. Como o leitor provavelmente tenha experimentado no PC 1, uma vez que deixamos a premissa de que o significado de um texto é o significado que o autor tinha em mente, não temos critério normativamente obrigatório que determine se uma interpretação ortodoxa de uma passagem é mais válida do que qualquer número de interpretações teoréticas.

Outros problemas que influenciam nossa maneira de fazer hermenêutica incluem: (1) se cremos ou não que o significado pretendido por Deus inclui um senso mais pleno do que o do autor humano, (2) como determinar quando uma passagem deve ser interpretada literalmente, quando em sentido figurativo, e quando em sentido simbólico, e (3) como nosso comprometimento espiritual afeta nossa capacidade de entender a verdade espiritual.

No capítulo seguinte vamos estudar alguns dos modos pelos quais os crentes judeus e os cristãos têm respondido a essas questões através da história.

---

1. F. F. Bruce, *The New Testament Documents: Are They Reliable?* 5ª ed. rev. (Chicago: Inter-Varsity, 1960), pp. 19-20.
2. T. S. Eliot, "Tradition and the Individual Talent", *Selected Essays* (Nova York, 1932), citado em E. D. Hirsch, *Validity in Interpretation* (New Haven: Yale University, 1967), p. 1. O volume de Hirsch é uma excelente fonte para posterior discussão deste e de outros tópicos afins.
3. Hirsch, *Validity in Interpretation*, p. 3.
4. Ibid, pp. 5-6.
5. Donald A. Hagner, "The Old Testament in the New Testament", em *Interpreting the Word of God*, red. Samuel J. Schultz & Morris Inch (Chicago: Moody, 1976), p. 92.
6. Ramm, *Protestant Biblical Interpretation*, pp. 122, 146.
7. Harold Lindsell, *The Battle for the Bible* (Grand Rapids: Zondervan, 1976), pp. 43-44.
8. Kenneth Kantzer, *Christ and Scripture* (Deerfield, Ill.: Trinity Evangelical Divinity School, s.d.), p. 2, citado em Lindsell, *Battle for the Bible*, p. 43.
9. J. I. Packer, *"Fundamentalism" and the Word of God*, pp. 55-59.
10. T. T. Perowne, *Obadiah and Jonah* (Cambridge: University Press, 1894), p. 51.
11. Wenham, *Christ and the Bible*, p. 14.
12. Clark Pinnock, "The Inspiration of Scripture and the Authority of Jesus Christ", em *God's Inerrant Word*, red. John Warwick Montgomery (Minneapolis: Bethany, 1974), p. 207.
13. Bruce, *The New Testament Documents*, pp. 19-20.
14. Daniel Fuller, "Benjamin B. Warfield's View of Faith and History" *Bulletin of the Evangelical Theological Society*, XI (1968), pp. 80-82.
15. Francis Schaeffer, *Escape from Reason* (Downers Grove: Inter-Varsity, 1968).
16. John Warwick Montgomery, "Biblical Inerrancy: What Is at Stake?" em *God's Inerrant Word*, pp. 23-28.
17. Lindsell, *Battle for the Bible*, p. 45.
18. R. C. Sproul, "The Case for Infallibility: A Methodological Analysis", em *God's Inerrant Word*, pp. 242-261. Um modo alternativo de evitar o raciocínio circular é começar com a hipótese da verdade da Bíblia como revelação de Deus, e examinar esta hipótese em termos do critério de coerência da verdade: sua uniformidade interna e ajustamento de todos os fatos, incluindo a historicidade da Bíblia, a pessoa de Jesus, suas obras, seus ensinos, suas reivindicações, sua ressurreição, experiências de conversão pessoal dos crentes, etc. Para desenvolvimento deste processo, veja Gordon Lewis, *Testing Christianity's Truth Claims* (Chicago: Moody, 1976), capítulos 7-11.

2 História da Interpretação Bíblica

Depois de completar este capítulo, o estudante deve poder localizar os mais importantes pressupostos e princípios evangélicos encontrados em cada um dos seguintes períodos de interpretação bíblica.

1. Exegese Judaica Antiga
2. Uso do Antigo Testamento pelo Novo Testamento
3. Exegese Patrística
4. Exegese Medieval
5. Exegese da Reforma
6. Exegese da Pós-Reforma
7. Hermenêutica Moderna

Por que uma Visão Panorâmica da História?

No transcurso dos séculos, desde que Deus revelou as Escrituras, tem havido diversos métodos de estudar a Palavra de Deus. Os intérpretes mais ortodoxos têm encarecido a importância de uma interpretação literal, pretendendo com isso interpretar a Palavra de Deus da maneira como se interpreta a comunicação humana normal. Outros têm empregado um método alegórico, e ainda outros têm examinado letras e palavras tomadas individualmente como possuindo significado secreto que precisa ser decifrado.

Uma visão geral histórica dessas práticas capacitar-nos-á a vencer a tentação de crer que nosso sistema de interpretação é o *único* que já existiu. Um entendimento dos pressupostos de outros métodos proporciona uma perspectiva mais equilibrada e uma capacidade para um diálogo mais significativo com os que crêem de modo diferente.

Pela observação dos erros dos que nos precederam, podemos conscientizar-nos mais dos possíveis perigos quando somos tentados de maneira semelhante. O adágio de Santayana de que "aquele que não aprende a lição da história está fadado a repeti-la" é tão aplicável ao campo da interpretação quanto o é a qualquer outro.

Além do mais, à medida que estudamos a história da interpretação, vamos vendo que muitos dos grandes cristãos (e.g., Orígenes, Agostinho, Lutero) entenderam e receitaram princípios hermenêuticos melhores do que os que praticaram. Daí a advertência de que o conhecimento de um princípio necessita, também, de fazer-se acompanhar da sua aplicação ao nosso estudo da Palavra.

Este panorama histórico utiliza-se das obras clássicas sobre hermenêutica, para as quais o leitor é remetido a fim de obter uma cobertura mais extensa. A obra de Bernard Ramm, *Protestant Biblical Interpretation* contém um excelente capítulo sobre história. Outras fontes estão arroladas no final deste capítulo.

Exegese Judaica Antiga

Um estudo da história da interpretação bíblica começa, em geral, com a obra de Esdras. Ao voltar do exílio na Babilônia, o povo de Israel solicitou a Esdras que lhes lesse o Pentateuco. Neemias 8:8 lembra: "Leram [Esdras e os levitas] no Livro, na lei de Deus, claramente, dando explicações, de maneira que entendessem o que se lia."

Visto que, durante o período do exílio, os israelitas provavelmente tenham perdido sua compreensão do hebraico, a maioria dos eruditos bíblicos supõe que Esdras e seus ajudantes traduziam o texto hebraico e o liam em voz alta em aramaico, acrescentando explicações para esclarecer o significado. Assim, pois, começou a ciência e arte da interpretação bíblica.[1]

Os escribas que vieram a seguir tiveram grande cuidado em copiar as Escrituras, crendo que cada letra do texto era a Palavra de Deus inspirada. Esta profunda reverência pelo texto escriturístico tinha suas vantagens e desvantagens. Uma grande vantagem estava em que os textos foram cuidadosamente preservados através dos séculos. Uma grande desvantagem foi que os rabinos logo começaram a interpretar a Escritura por outros métodos que não os meios pelos quais a comunicação é normalmente interpretada. Os rabinos pressupunham que sendo Deus o autor da Escritura, (1) o intérprete poderia esperar numerosos significados em determinado texto, e (2) cada detalhe incidental do texto possuía significado. O rabi Akiba, no primeiro século da era cristã, finalmente entendeu que isto sustentava que toda repetição, figura de linguagem, paralelismo, sinônimo, palavra, letra, e até as formas das letras tinham significados ocultos. Este "letrismo" (enfoque indevido às *letras* das quais se compunham as palavras da Escritura) era muitas vezes levado a tal ponto que o significado que o autor tinha em mente era menosprezado e em seu lugar se introduzia uma especulação fantástica.

No tempo de Cristo, a exegese judaica podia classificar-se em quatro tipos principais: literal, midráshica, pesher, e alegórica. O *método literal* de interpretação, referido como *peshat*, evidentemente servia de base para outros tipos de interpretações. Richard Longenecker, citando Lowy, entende que o motivo da relativa infreqüência das interpretações literalísticas da literatura talúdica é "que este tipo de comentário, esperava-se, devia ser conhecido por todos; e uma vez que não havia disputas a seu respeito, não era registrado".[2]

A *interpretação midráshica* incluía uma variedade de dispositivos hermenêuticos que se haviam desenvolvido de maneira considerável no tempo de Cristo e continuaram a desenvolver-se ainda por diversos séculos.

O rabi Hillel, cuja vida antedata a ascensão do Cristianismo por uma geração ou tanto, é considerado como o elaborador das normas básicas da exegese rabínica que acentuava a comparação de idéias, palavras ou frases encontradas em mais de um texto, a relação de princípios gerais com situações particulares, e a importância do contexto na interpretação.

Contudo, teve continuidade a tendência no sentido de uma exposição mais fantasiosa em vez da conservadora. Isto resultou numa exegese que (1) dava significado a textos, frases e palavras sem levar em conta o contexto no qual se tencionava fossem aplicados; (2) combinava textos que continham palavras ou frases semelhantes, sem considerar se tais textos referiam-se à mesma idéia; e (3) tomava aspectos incidentais de gramática e lhes dava significação interpretativa. Damos abaixo dois exemplos de tal exegese:

> Pelo uso supérfluo de três partículas [hebraicas], as Escrituras indicam . . . que algo mais está incluído no texto do que a aparente declaração pareceria implicar. Esta norma está exemplificada em Gênesis 21:1, onde se lê que "Visitou o Senhor a Sara", e a partícula deve mostrar que o Senhor também visitou outras mulheres além de Sara.
>
> ....
>
> Obtemos as explicações reduzindo as letras de uma palavra a seu valor numérico, e substituindo-a por outra

palavra ou frase do mesmo valor, ou transpondo as letras. Assim, por exemplo, a soma das letras do nome de Eliezer, servo de Abraão, é equivalente a 318, o número de seus homens capazes (Gênesis 14:14), e, por conseguinte, mostra que Eliezer sozinho tinha o valor de um exército.

Assim, concentrando-se na identificação de significados ocultos de detalhes gramaticais incidentais e especulações numéricas arquitetadas, a exegese midráshica muitas vezes perdeu a visão do verdadeiro sentido do texto.

A *interpretação pesher* existia particularmente entre as comunidades de Qumran. Esta forma emprestou extensivamente das práticas midráshicas, mas incluía um significativo enfoque escatológico. A comunidade acreditava que tudo quanto os antigos profetas escreveram tinha significado profético velado que devia ser iminentemente cumprido por intermédio de sua comunidade do pacto. Era comum a interpretação apocalíptica (veja o capítulo 7) juntamente com a idéia de que, mediante o Mestre de Justiça, Deus tinha revelado o significado das profecias outrora envoltas em mistério. Muitas vezes a interpretação pesher era denotada pela frase "este é aquela", indicando que "*este* presente fenômeno é cumprimento *daquela* antiga profecia".

A *exegese alegórica* baseava-se na idéia de que o verdadeiro sentido jaz sob o significado literal da Escritura. Historicamente, o alegorismo foi desenvolvido pelos gregos para reduzir a tensão entre sua tradição de mito religioso e sua herança filosófica. Visto que os mitos religiosos continham muita coisa imoral ou de outro modo inaceitáveis, os filósofos gregos davam forma de alegoria a essas histórias; isto é, os mitos não deviam ser entendidos em sentido literal, mas como histórias cuja real verdade jaz num nível mais profundo. No tempo de Cristo, os judeus que desejavam permanecer fiéis à tradição mosaica mas adotavam a filosofia grega, defrontavam-se com uma tensão semelhante. Alguns judeus a reduziam alegorizando a tradição mosaica. Filão (c. 20 a.C. — c. 50 d.C.) é bem conhecido neste aspecto.

Filão acreditava que o significado literal da Escritura representava um nível imaturo de compreensão; o significado alegórico era para os maduros. Devia usar-se a interpretação alegórica nos seguintes casos: (1) se o significado literal diz algo indigno de Deus, (2) se a declaração parece ser contraditória a outra declaração da Escritura, (3) se o registro alega tratar-se de uma alegoria, (4) se as expressões são dúplices ou se há emprego de palavras supérfluas, (5) se há repetição de algo já conhecido, (6) se uma expressão é variada, (7) se se empregam sinônimos, (8) se for possível um jogo de palavras, (9) se houver algo anormal em número ou tempo (verbal), ou (10) se há presença de símbolos.

Como se pode ver, os critérios (3) e (10) são indicações válidas de que o autor tencionava que seu escrito fosse entendido como alegoria. Contudo, o alegorizar de Filão e de seus contemporâneos foi muito além disto, amiúde atingindo proporções fantásticas. Ramm cita este exemplo: "A viagem de Abraão para a Palestina é *realmente* a história de um filósofo estóico que deixa a Caldéia (entendimento sensual) e se detém em Harã, que quer dizer 'buracos', e significa o vazio de conhecer as coisas pelos buracos, isto é, os sentidos. Ao tornar-se Abraão, ele se torna um filósofo verdadeiramente esclarecido. Casar-se com Sara é casar-se com a sabedoria abstrata."[3]

Resumindo: Durante o primeiro século da era cristã os intérpretes judaicos concordaram em que a Escritura representa as palavras de Deus, e que essas palavras estão cheias de significado para os crentes. Empregou-se a interpretação literal nas áreas de interesses judiciais e práticos. Em sua maioria, os intérpretes empregaram práticas midráshicas, especialmente as regras desenvolvidas por Hillel, e a maior parte deles usou suavemente a exegese alegórica. Dentro da comunidade judaica, porém, alguns grupos tomaram rumos diferentes. Os fariseus continuaram a desenvolver a exege midráshica a fim de vincular sua tradição oral mais intimamente com a Escritura. A comunidade de Qumran, crendo que eles próprios eram o remanescente fiel e beneficiários dos mistérios proféticos, continuou a usar os métodos midráshico e pesher para interpretar a Escritura. E Filão e os que desejavam conciliar a Escritura judaica com a filosofia grega continuaram a desenvolver métodos exegéticos alegóricos.

O Uso do Antigo Testamento pelo Novo

Aproximadamente 10% do Novo Testamento constitui-se de citações diretas, de paráfrases do Antigo Testamento ou de alusões a ele. Dos trinta e nove livros do Antigo Testamento, apenas nove não são expressamente mencionados no Novo. Como conseqüência, um significativo corpo de literatura exemplifica os métodos interpretativos de Jesus e dos escritores do Novo Testamento.

O Uso Que Jesus Faz do Antigo Testamento

Podemos extrair diversas conclusões gerais dum exame do uso

que Jesus faz do Antigo Testamento. Primeiro, conforme observamos no capítulo 1, ele foi uniforme no tratar as narrativas históricas como registros fiéis do fato. As alusões a Abel, Noé, Abraão, Isaque, Jacó, e Davi, por exemplo, parecem todas intencionais e foram entendidas como referências a pessoas de carne e osso e a eventos históricos.

Segundo, quando Jesus fazia aplicação do registro histórico, ele o extraía do significado normal do texto, contrário ao sentido alegórico. Ele não demonstrou tendência alguma para dividir a verdade escriturística em níveis — um nível superficial baseado no significado literal do texto e uma verdade mais profunda baseada em algum nível místico.

Terceiro, Jesus denunciou o modo como os dirigentes religiosos haviam desenvolvido métodos casuísticos que punham à parte a própria Palavra de Deus que eles alegavam estar interpretando, e no lugar dela colocavam suas próprias tradições (Marcos 7:6-13; Mateus 15:1-9).

Quarto, os escribas e fariseus, por mais que quisessem acusar a Cristo de erro, nunca o acusaram de usar qualquer Escritura de modo antinatural ou ilegítimo. Mesmo quando Jesus repudiava diretamente os acréscimos e as interpretações errôneas dos fariseus com relação ao Antigo Testamento (Mateus 5:21-48), o registro bíblico diz-nos que "estavam as multidões maravilhadas da sua doutrina; porque ele as ensinava como quem tem autoridade, e não como os escribas" (Mateus 7:28-29).

Quinto, quando Jesus, vez por outra, usou um texto de um modo que nos parece antinatural, geralmente se tratava de legítima expressão idiomática hebraica ou aramaica, ou padrão de pensamento que não se traduz diretamente para nossa cultura e nosso tempo. Em Mateus 27:9-10 encontramos um exemplo disto. Conquanto a passagem não seja citação direta de Jesus, ela esclarece que aquilo que seria considerado inexato por nosso conjunto de normas culturais era praxe hermenêutica legítima e aceita naquele tempo. Diz o texto: "Então se cumpriu o que foi dito por intermédio do profeta Jeremias: Tomaram as trinta moedas de prata, preço em que foi estimado aquele a quem alguns dos filhos de Israel avaliaram; e as deram pelo campo do oleiro, assim como me ordenou o Senhor." A citação é, em realidade, uma compilação de Jeremias 32:6-9 e Zacarias 11:12-13. Para a nossa maneira de pensar, combinar citações de dois homens diferentes com referência somente a um é erro de referência. Contudo, na cultura judaica da época de Jesus esta era uma praxe hermenêutica aceita, entendida pelo autor e igualmente pela audiência. Procedimento comum era agrupar duas ou mais profecias e atribuí-las ao mais preeminente profeta do grupo (neste caso, Jeremias). Portanto, o que parece erro interpretativo na realidade é aplicação hermenêutica legítima quando considerada dentro do devido contexto.

Os usos que o Novo Testamento faz do Antigo, os quais provavelmente suscitam a máxima questão com referência à sua legitimidade hermenêutica, são as passagens de cumprimento. Pode parecer que o escritor do Novo Testamento está dando a esses versículos interpretação diferente da pretendida pelo autor do Antigo. O problema é complexo. O capítulo 7 traz um estudo detalhado das concepções hebraicas de cumprimento histórico, profético e tipológico.

O Uso Que os Apóstolos Fizeram do Antigo Testamento

Os apóstolos acompanharam seu Senhor e consideraram o Antigo Testamento como a Palavra de Deus inspirada (2 Timóteo 3:16; 2 Pedro 1:21). Em cinqüenta e seis casos, pelo menos, há referência explícita a Deus como o autor do texto bíblico. À semelhança de Cristo, eles aceitaram a exatidão histórica do Antigo Testamento (e.g., Atos 7:9-50; 13:16-22; Hebreus 11). Conforme observa Nicole:

> Quando em debate, eles apelam para a Escritura; apelam para ela quando solicitados a responder a perguntas, sejam sérias ou capciosas; apelam para ela com referência ao ensino que ministram até aos que não se inclinariam a pressioná-los para outras autoridades que não a própria palavra deles; apelam para ela a fim de indicar o propósito de algumas de suas ações ou sua penetração no propósito de Deus em relação aos desenvolvimentos contemporâneos; e apelam para ela em suas orações.

A elevada estima com a qual os escritores do Novo Testamento consideraram o Antigo sugere fortemente que não teriam, de um modo consciente ou intencional, interpretado mal as palavras que acreditavam ter sido proferidas pelo próprio Deus.

Embora tendo dito isso, geralmente surgem diversas perguntas a respeito do uso que fizeram do Antigo Testamento os escritores do Novo. Uma das mais freqüentes é: *Ao citar o Antigo Testamento, com freqüência o Novo modifica o fraseado primitivo. Como se pode justificar hermeneuticamente tal prática?*

Três considerações são aqui pertinentes. *Primeira*, diversas versões em hebraico, aramaico e grego do texto bíblico circulavam na Palestina no tempo de Cristo, algumas das quais tinham fraseado diferente das outras. Uma citação exata de uma dessas versões podia não ter a mesma redação dos textos dos quais se fazem nossas presentes traduções, não obstante ainda representem interpretação fiel do texto bíblico disponível ao escritor do Novo Testamento.

Segunda, conforme observa Wenham, não era necessário que os escritores citassem passagens do Antigo Testamento, palavra por palavra, a menos que alegassem estar citando *ipsis verbis*, particularmente porque estavam escrevendo numa língua diferente dos textos originais do Antigo Testamento.[4]

Terceira, na vida comum, não estar preso à citação é, geralmente, sinal de que o autor tem domínio da matéria; quanto mais seguro está o orador de entender o significado de um autor, tanto menor o medo que ele tem de expor essas idéias em palavras que não são exatamente as do autor. Por esses motivos, pois, o fato de que os escritores do Novo Testamento às vezes parafrasearam ou citaram indiretamente o Antigo não indica, de forma alguma, que usaram métodos interpretativos ilegítimos.

A segunda pergunta às vezes levantada é: *O Novo Testamento parece usar partes do Antigo de modo antinatural. Como se justifica hermeneuticamente esta prática?*

A discussão de Paulo da palavra *descendente* em Gálatas 3:16 amiúde é usada como exemplo do manuseio de uma passagem do Antigo Testamento, manuseio antinatural e, portanto, ilegítimo. A promessa fora feita a Abraão de que por meio dele todas as nações do mundo seriam abençoadas (Gálatas 3:8). O versículo 16 diz: "Ora, as promessas foram feitas a Abraão e ao seu descendente. Não diz: E aos descendentes, como se falando de muitos, porém como de um só: E ao teu descendente, que é Cristo." Alguns estudiosos têm suposto, neste caso, que Paulo tomou emprestado de métodos rabínicos ilegítimos na tentativa de provar seu ponto de vista, já que parece impossível que uma palavra pudesse ter, simultaneamente, um referente singular e um plural.

Contudo, *descendente* pode ter no singular um sentido coletivo. Paulo está dizendo que as promessas foram feitas a Abraão e à sua descendência, mas o cumprimento de tais promessas, em última análise, só se realiza em Cristo. Na cultura hebraica da época, a idéia de uma figura representiva do grupo (um "complexo de pensamento no qual há uma oscilação constante entre o indivíduo e o grupo — família, tribo ou nação — ao qual ele pertence"[5]) era até mais forte do que no sentido coletivo expresso pela idéia de descendência. Havia freqüente oscilação entre o rei ou alguma figura representativa dentro da nação, de um lado, e o remanescente eleito ou o Messias, de outro. A natureza da relação não é exatamente traduzível para categorias modernas, mas era a que Paulo e sua audiência entendiam prontamente.

Em conclusão, a vasta maioria das referências do Novo Testamento ao Antigo interpretam-no literalmente; isto é, interpretam-no de acordo com as normas comumente aceitas para interpretar todos os tipos de comunicação — história como história, poesia como poesia, e símbolos como símbolos. Não se faz tentativa de dividir a mensagem em níveis literais e alegóricos.[6] Os poucos exemplos em que os escritores do Novo Testamento parecem interpretar o Antigo de modo antinatural podem, geralmente, ser resolvidos à medida que entendemos mais plenamente os métodos interpretativos dos tempos bíblicos. Assim, o próprio Novo Testamento lança a base para o método histórico-gramatical da moderna hermenêutica evangélica.

PC2: Diversos estudiosos do Novo Testamento alegam que Jesus e os escritores neotestamentários emprestaram de seus contemporâneos métodos hermenêuticos tanto legítimos como ilegítimos.
  a. Como definiria você um método hermenêutico ilegítimo?
  b. Concorda você em que Jesus e os escritores do Novo Testamento emprestaram de seus contemporâneos métodos hermenêuticos ilegítimos? Por que concorda ou por que não?
  c. Quais são as implicações da doutrina da inspiração para esta pergunta?
  d. Quais são as implicações de sua cristologia para esta pergunta?

Exegese Patrística (100-600 d.C)

A despeito da prática dos apóstolos, uma escola de interpretação alegórica dominou a igreja nos séculos que se sucederam. Esta alegorização derivou-se de um propósito digno — o desejo de entender o Antigo Testamento como documento cristão. Contudo, o método alegórico segundo praticado pelos pais da igreja muitas vezes negligenciou por completo o entendimento de um texto e desenvolveu especulações que o próprio autor nunca teria reconhecido. Uma vez abandonado o sentido que o autor tinha em mente, conforme expresso por suas próprias palavras e sintaxe, não permaneceu nenhum princípio regulador que governasse a exegese.

Clemente de Alexandria (c. 150-c. 215)

Exegeta patrístico de nomeada, Clemente acreditava que as Escrituras ocultavam seu verdadeiro significado a fim de que fôssemos inquiridores, e também porque não é bom que todos a entendam. Ele desenvolveu a teoria de que cinco sentidos estão ligados à Escritura (histórico, doutrinal, profético, filosófico, e místico), com as mais profundas riquezas disponíveis somente aos que entendem os sentidos mais profundos. Sua exegese de Gênesis 22:1-4 (a viagem de Abraão a Moriá para sacrificar Isaque) dá o sabor de seus escritos:

> Quando, no terceiro dia, Abraão chegou ao lugar que Deus lhe havia indicado, erguendo os olhos, viu o lugar à distância. O primeiro dia é aquele constituído pela visão de coisas boas; o segundo é o melhor desejo da alma; no terceiro a mente percebe coisas espirituais, sendo os olhos do entendimento abertos pelo Mestre que ressuscitou no terceiro dia. Os três dias podem ser o mistério do selo (batismo) no qual cremos realmente em Deus. É, por conseqüência, à distância que ele percebe o lugar. Porque o reino de Deus é difícil de atingir, o qual Platão chama de reino de idéias, havendo aprendido de Moisés que se tratava de um lugar que continha todas as coisas universalmente. Mas Abraão corretamente o vê à distância, em virtude de estar ele nos domínios da geração, e ele é imediatamente iniciado pelo anjo. Por esse motivo diz o apóstolo: "Porque agora vemos como em espelho, obscuramente, então veremos face a face", mediante aquelas exclusivas aplicações puras e incorpóreas do intelecto.

Orígenes (185?-254?)

Orígenes foi o notável sucessor de Clemente. Ele cria ser a Escritura uma vasta alegoria na qual cada detalhe é simbólico, e dava grande importância a 1 Coríntios 2:6-7 ("falamos a sabedoria de Deus em mistério").

Orígenes acreditava que assim como o homem se constitui de três partes — corpo, alma e espírito — da mesma forma a Escritura possui três sentidos. O corpo é o sentido literal, a alma o sentido moral, e o espírito o sentido alegórico ou místico. Na prática, Orígenes tipicamente menosprezou o sentido literal, raramente se referiu ao sentido moral, e empregou constantemente a alegoria, uma vez que só ela produzia o verdadeiro conhecimento.

Agostinho (354-430)

Em termos de originalidade e gênio, Agostinho foi de longe o maior homem de sua época. Em seu livro sobre a doutrina cristã ele estabeleceu diversas regras para exposição da Escritura, algumas das quais estão em uso até hoje. Entre suas regras encontramos as seguintes, conforme resumo de Ramm:

1. O intérprete deve possuir fé cristã autêntica.
2. Deve-se ter em alta conta o significado literal e histórico da Escritura.
3. A Escritura tem mais que um significado e portanto o método alegórico é adequado.
4. Há significado nos números bíblicos.
5. O Antigo Testamento é documento cristão porque Cristo está retratado nele do princípio ao fim.
6. Compete ao expositor entender o que o autor pretendia dizer, e não introduzir no texto o significado que ele, expositor, quer lhe dar.
7. O intérprete deve consultar o verdadeiro credo ortodoxo.
8. Um versículo deve ser estudado em seu contexto, e não isolado dos versículos que o cercam.
9. Se o significado de um texto é obscuro, nada na passagem pode constituir-se matéria de fé ortodoxa.
10. O Espírito Santo não toma o lugar do aprendizado necessário para se entender a Escritura. O intérprete deve conhecer hebraico, grego, geografia e outros assuntos.
11. A passagem obscura deve dar preferência à passagem clara.
12. O expositor deve levar em consideração que a revelação é progressiva.[7]

Na prática, Agostinho renunciou à maioria de seus princípios e inclinou-se para uma alegorização excessiva. Esta prática faz que seus comentários exegéticos sejam alguns dos menos valiosos de seus escritos. Ele justificou suas interpretações alegóricas em 2 Coríntios 3:6 ("porque a letra mata, mas o espírito vivifica"), querendo com isso dizer que uma interpretação literal da Bíblia mata, mas uma alegórica ou espiritual vivifica.

Agostinho cria que a Escritura tinha um sentido quádruplo — histórico, etiológico, analógico, alegórico. Sua opinião foi a predominante na Idade Média. Portanto, a influência de Agostinho no desenvolvimento de uma exegese científica foi mista: na teoria ele sistematizou muitos dos princípios de exegese sadia, mas na prática deixou de aplicar esses princípios em seu estudo bíblico.

A Escola de Antioquia da Síria

Um grupo de eruditos em Antioquia da Síria tentou evitar o "letrismo" dos judeus e o alegorismo dos alexandrinos. Eles, e especialmente um de seu grupo, Teodoro de Mopsuéstia (c. 350—428), defendiam com o maior zelo o princípio da interpretação histórico-gramatical, isto é, que um texto deve ser interpretado segundo as regras da gramática e os fatos da história. Evitavam a exegese dogmática, asseverando que uma interpretação deve ser justificada por um estudo de seu contexto gramático e histórico, e não por um apelo à autoridade. Criticavam os alegoristas por lançarem dúvida na historicidade de muita coisa do Antigo Testamento.

A perspectiva que os antioquenses tinham da história diferia daquela que tinham os alexandrinos. Segundo os alegoristas, flutuando acima do significado dos acontecimentos do Antigo Testamento encontrava-se outro, mais espiritual. Os antioquenses, pelo contrário, criam que o significado espiritual de um acontecimento histórico estava implícito no próprio acontecimento. Por exemplo, de acordo com os alegoristas, a partida de Abraão de Harã significava sua recusa em conhecer as coisas por meio dos sentidos; para os antioquenses, representava um ato de fé e confiança ao seguir o chamado de Deus para deixar a cidade histórica de Harã e dirigir-se à terra de Canaã.

Os princípios exegéticos da escola de Antioquia lançaram a base da hermenêutica evangélica moderna. Infelizmente, Nestório, discípulo de Teodoro, envolveu-se numa grande heresia concernente à pessoa de Cristo, e sua associação com a escola, paralelamente a outras circunstâncias históricas, levou esta promissora escola de pensamento a encerrar suas atividades.

Exegese Medieval (600-1500)

Pouca erudição teve origem na Idade Média; a maior parte dos estudantes da Bíblia devotava-se a estudar e compilar as obras dos Pais primitivos. A interpretação foi amarrada pela tradição, e o que se destacava era o método alegórico.

O sentido quádruplo da Escritura engendrado por Agostinho era a norma para a interpretação bíblica. Esses quatro níveis de significação, expressos na seguinte quadra que circulou durante este período, eram tidos como existentes em toda passagem bíblica:

A *letra* mostra-nos o que Deus e nossos pais fizeram;
A *alegoria* mostra-nos onde está oculta a nossa fé;
O significado *moral* dá-nos as regras da vida diária
A *anagogia* mostra-nos onde terminamos nossa luta.

Podemos usar a cidade de Jerusalém como exemplo desta idéia. Literalmente, Jerusalém refere-se à própria cidade histórica; alegoricamente, refere-se à igreja de Cristo; moralmente, indica a alma humana; e anagogicamente (escatologicamente), aponta para a Jerusalém celestial.

Durante esse período, aceitou-se geralmente o princípio de que qualquer interpretação de um texto bíblico devia adaptar-se à tradição e à doutrina da igreja. A fonte da teologia dogmática não era só a Bíblia, mas a Bíblia conforme a tradição da igreja a interpretava.

Embora predominasse o método quádruplo de interpretação, outros tipos de exegese ainda estavam sendo desenvolvidos. No decorrer do último período medieval, os cabalistas na Europa e na Palestina continuaram na tradição do primitivo misticismo judaico. Levaram a prática do "letrismo" ao ridículo. Acreditavam que cada letra, e até mesmo cada possível transposição ou substituição de letras, tinha significação sobrenatural. Na tentativa de desvendar mistérios divinos, recorreram aos seguintes métodos: substituir uma palavra bíblica por outra que tinha o mesmo valor numérico; acrescentar ao texto por considerar cada letra de uma palavra como a letra inicial de outras; substituir novas palavras num texto por algumas letras das palavras primitivas.

Entre alguns grupos, porém, estava em voga um método de interpretação mais científico. Os judeus espanhóis dos séculos doze a quinze incentivaram o retorno a um método de interpretação histórico-gramatical. Os vitorinos da Abadia de São Vítor, em Paris, defendiam a tese de que o significado da Escritura deve encontrar-se em sua exposição literal de preferência à alegórica. Propunham que a exegese desse origem à doutrina ao invés de fazer o significado de um texto coincidir com ensino eclesiástico anterior.

Nicolau de Lyra (1270? — 1340?) foi um homem que causou significativo impacto sobre o retorno à interpretação literal. Embora concordasse em que há quatro sentidos relacionados com a Escritura, ele deu indiscutível preferência ao sentido literal e insistiu em que os demais sentidos se alicerçassem firmemente no literal. Ele se queixava de que os outros sentidos muitas vezes eram usados para sufocar o literal, e asseverava que só o literal deveria ser usado como base de doutrina. A obra de Nicolau de Lyra influenciou profundamente a Lutero, e muitos há que crêem que, sem a sua influência, Lutero não teria dado início à Reforma.

Exegese da Reforma (Século XVI)

Nos séculos XIV e XV predominava profunda ignorância concernente ao conteúdo da Escritura: alguns doutores de teologia nunca haviam lido a Bíblia toda. A Renascença chamou a atenção para a necessidade de conhecer as línguas originais a fim de entender-se a Bíblia. Erasmo facilitou este estudo ao publicar a primeira edição de crítica ao Novo Testamento grego, e Reuchlin com sua tradução de uma gramática e léxico hebraicos. O sentido quádruplo da Escritura foi, aos poucos, deixado de lado e substituído pelo princípio de que a Escritura tem apenas um único sentido.

Lutero (1483-1546)

Lutero acreditava que a fé e a iluminação do Espírito eram requisitos indispensáveis ao intérprete da Bíblia. Asseverava ele que a Bíblia devia ser vista com olhos inteiramente distintos daqueles com os quais vemos outras produções literárias.

Lutero sustentava, também, que a igreja não deveria determinar o que as Escrituras ensinam; pelo contrário, as Escrituras é que deveriam determinar o que a igreja ensina. Rejeitou o método alegórico de interpretação da Escritura, chamando-o de "sujeira", "escória", e "um monte de trapos obsoletos".

De acordo com Lutero, uma interpretação adequada da Escritura deve proceder de uma compreensão literal do texto. O intérprete deve considerar em sua exegese as condições históricas, a gramática e o contexto. Ele acreditava, também, que a Bíblia é um livro claro (a perspicuidade da Escritura), contrariamente ao dogma católico romano de que as Escrituras são tão obscuras que somente a igreja pode revelar seu verdadeiro significado.

Ao abandonar o método alegórico que por tanto tempo servira para fazer do Antigo Testamento um livro cristão, Lutero viu-se forçado a encontrar outro meio de explicar aos crentes como o Antigo se aplicava ao Novo. Isto ele fez sustentando que o Antigo e o Novo Testamentos apontam para Cristo. Este princípio de organização, que em realidade se tornou um princípio hermenêutico, levou Lutero a ver a Cristo em muitos lugares (como alguns dos Salmos que ele designou como messiânicos) onde mais tarde os intérpretes deixaram de encontrar referências cristológicas. Quer concordemos, quer não, com todas as designações de Lutero, seu princípio cristológico capacitou-o, de fato, a demonstrar a unidade da Escritura sem apelação para a interpretação mística do texto do Antigo Testamento.

Um dos grandes princípios hermenêuticos de Lutero dizia que se deve fazer cuidadosa distinção entre a Lei e o Evangelho. Para Lutero, a Lei refere-se a Deus em sua ira, seu juízo, e seu ódio ao pecado; o Evangelho refere-se a Deus em sua graça, seu amor, e sua salvação. O repúdio à Lei estava errado, segundo Lutero, porque conduz à ilegalidade. Fundir a Lei e o Evangelho também estava errado, porque conduz à heresia de acrescentar obras à fé. Lutero acreditava, pois, que o reconhecimento e a manutenção cuidadosa da distinção Lei-Evangelho eram decisivos ao entendimento adequado da Bíblia. (Veja o capítulo 5 para uma análise mais ampla da Lei e do Evangelho.)

Melanchton, companheiro de Lutero em questões de exegese, continuou a aplicação dos princípios hermenêuticos de Lutero em suas exposições do texto bíblico, sustentando e aumentando o impulso da obra de Lutero.

Calvino (1509-1564)

O maior exegeta da Reforma foi, provavelmente, Calvino, que concordava, em geral, com os princípios articulados por Lutero. Ele, também, acreditava que a iluminação espiritual é necessária, e considerava a interpretação alegórica como artimanha de Satanás para obscurecer o sentido da Escritura.

"A Escritura interpreta a Escritura" era uma sentença predileta de Calvino, a qual aludia à importância que ele dava ao estudo do contexto, da gramática, das palavras, e de passagens paralelas, em lugar de trazer para o texto o significado do próprio intérprete. Numa famosa sentença ele declarou que "a primeira tarefa de um intérprete é deixar que o autor diga o que ele de fato diz, em vez de atribuir-lhe o que pensa que ele deva dizer".[8]

Calvino, provavelmente, superou a Lutero em harmonizar suas práticas exegéticas com sua teoria. Ele não partilhava da opinião de Lutero de que Cristo deve ser encontrado em toda a parte nas Escrituras (e.g., ele não concordava com Lutero quanto ao número de Salmos que são legitimamente messiânicos). A despeito de algumas diferenças, os princípios hermenêuticos sistematizados por esses reformadores haveriam de tornar-se os grandes princípios norteadores para a moderna interpretação protestante ortodoxa.

Exegese de Pós-Reforma (1550-1800)

Confessionalismo

O Concílio de Trento reuniu-se em várias ocasiões de 1545 a 1563 e elaborou uma lista de decretos expondo os dogmas da igreja católica romana e criticando o protestantismo. Os protestantes reagiram com o desenvolvimento de credos que definam sua posição.

A certa altura, quase todas as cidades importantes tinham seu credo predileto, com a predominância de amargas controvérsias teológicas. Os métodos hermenêuticos durante este período amiúde eram deficientes porque a exegese se tornou uma criada da dogmática, e muitas vezes degenerou-se em mera escolha de texto para comprovação. Ao descrever os teólogos daquela época, Farrar diz que eles liam "a Bíblia à luz do fulgor antinatural do ódio teológico".[9]

Pietismo

O pietismo surgiu como reação à exegese dogmática e muitas vezes amarga do período confessional. Philipp Jakob Spener (1635-1705) é considerado o líder do reavivamento pietista. Num folheto intitulado *Anseios Piedosos* ele pedia o fim da controvérsia inútil, o retorno ao interesse cristão mútuo e às boas obras; melhor conhecimento da Bíblia por parte dos cristãos, e melhor preparo espiritual para os ministros.

A. H. Francke tipificou muitas das características pedidas pelo folheto de Spener. Além de ser erudito, lingüista e exegeta, ele foi ativo na formação de muitas instituições destinadas ao cuidado dos desamparados e dos enfermos. Além disso, envolveu-se na organização do trabalho missionário para a Índia.

O pietismo fez significativas contribuições para o estudo da Escritura, mas não ficou imune às críticas. Nos seus mais sublimes momentos os pietistas uniram um profundo desejo de entender a Palavra de Deus e apropriar-se dela para suas vidas com uma excelente apreciação da interpretação histórico-gramatical. Contudo, muitos pietistas mais recentes descartaram a base de interpretação histórico-gramatical, e passaram a depender de uma "luz interior" ou de "uma unção do Santo". Essas manifestações, baseadas em impressões subjetivas e reflexões piedosas, muitas vezes resultaram em interpretações contraditórias e que pouca relação tinham com o significado do autor.

Racionalismo

O racionalismo, posição filosófica que aceita a razão como a única autoridade que determina as opções ou curso de ação de alguém, surgiu como importante modo de pensar durante este período e cedo devia causar profundo efeito sobre a teologia e a hermenêutica.

Durante vários séculos antes, a igreja havia acentuado a racionalidade da fé. Considerava a revelação superior à razão como meio de entender a verdade, mas a verdade da revelação foi tida como inerentemente razoável.

Lutero estabeleceu distinção entre o uso magisterial e o ministerial da razão. Por uso ministerial da razão ele se referia ao emprego da razão humana para ajudar-nos a compreender e a obedecer mais plenamente à Palavra de Deus. Por uso magisterial da razão ele se referia ao emprego da razão humana como juiz sobre a Palavra de Deus. Lutero afirmava claramente a primeira e rejeitava a segunda.

Durante o período que se seguiu à Reforma, o uso magisterial da razão começou a emergir mais plenamente como nunca antes. Surgiu o empirismo, crença de que o único conhecimento válido que podemos possuir é o obtido através dos cinco sentidos, e aliou-se ao racionalismo. A associação do racionalismo com o empirismo significava que: (1) muitos pensadores de nomeada estavam alegando que a razão, e não a revelação, devia orientar nosso pensamento e ações; e (2) que a razão seria usada para julgar que partes da revelação eram consideradas aceitáveis (que chegaram a incluir somente aquelas partes sujeitas às leis naturais e à verificação empírica).

Hermenêutica Moderna (1800 até ao Presente)

Liberalismo

O racionalismo filosófico lançou a base do liberalismo teológico. Ao passo que nos séculos anteriores a revelação havia determinado o que a razão devia pensar, no final do século XIX a razão determinava que partes da revelação (se houvesse alguma) deviam ser aceitas como verdadeiras. Onde nos séculos anteriores a autoria divina da Escritura fora acentuada, agora o foco era sua autoria humana. Alguns autores diziam que várias partes da Escritura possuíam diversos *graus* de inspiração, e podia ser que os graus inferiores (como detalhes históricos) contivessem erros. Outros escritores, como Schleirmacher, foram além, negando totalmente o caráter sobrenatural da inspiração. Muitos já não mencionavam a *inspiração* como o processo pelo qual Deus guiou os autores humanos a um produto escriturístico que fosse a sua verdade. Pelo contrário, a *inspiração* referia-se à capacidade da Bíblia (produzida humanamente) de inspirar experiência religiosa.

Também aplicou-se à Bíblia um naturalismo consumado. Os racionalistas alegavam que tudo o que não estivesse conforme à "mentalidade instruída" devia ser rejeitado. Isto incluía doutrinas como a depravação humana, o inferno, o nascimento virginal, e, com freqüência, até a expiação vicária de Cristo. Os milagres e outros exemplos de intervenção divina eram regularmente explicados de forma satisfatória como exemplos de pensamento pré-crítico. Sofrendo a influência do pensamento de Darwin e de Hegel, a Bíblia chegou a ser vista como um registro do desenvolvimento evolucionista da consciência religiosa de Israel (e mais tarde da igreja), e não como uma revelação do próprio Deus ao homem. Cada um desses pressupostos influenciou profundamente a credibilidade que os intérpretes davam ao texto bíblico, e, desse modo, teve importantes implicações para os métodos interpretativos. Era freqüente a mudança do próprio foco interpretativo: A pergunta dos eruditos já não era "Que é que Deus diz no texto?", e, sim "Que é que o texto me diz a respeito do desenvolvimento da consciência religiosa deste primitivo culto hebraico?"

Neo-ortodoxia

A neo-ortodoxia é um fenômeno do século XX. Ocupa, em alguns aspectos, uma posição intermediária entre os pontos de vista liberal e ortodoxo. Rompe com a opinião liberal de que a Escritura é tão-só produto do aprofundamento da consciência religiosa do homem, mas detém-se antes de chegar à perspectiva ortodoxa da revelação.

Os que se encontram dentro dos círculos neo-ortodoxos geralmente crêem que a Escritura é o testemunho do homem à revelação que Deus faz de si próprio. Sustentam que Deus não se revela em palavras, mas apenas por sua presença. Quando alguém lê as palavras da Escritura e reage com fé à presença divina, ocorre a revelação. A revelação não é considerada como algo ocorrido num ponto histórico, o qual agora nos é transmitido nos textos bíblicos, mas uma experiência presente que deve fazer-se acompanhar de uma reação existencial pessoal.

As posições neo-ortodoxas sobre diversos problemas diferem das ortodoxas tradicionais. A infalibilidade ou inerrância não tem lugar no vocabulário neo-ortodoxo. A Escritura é vista como um compêndio de sistemas teológicos às vezes conflitantes acompanhados por diversos erros fatuais. As histórias bíblicas da interação entre o sobrenatural e o natural são vistas como mitos — não no mesmo sentido dos mitos pagãos, mas no sentido de que não ensinam história literal. Os "mitos" bíblicos (como a criação, a queda, a ressurreição) visam a apresentar verdades teológicas na forma de incidentes históricos. Na interpretação neo-ortodoxa, a

História da Interpretação Bíblica 53

queda, por exemplo, "informa-nos que o homem, inevitavelmente, corrompe sua natureza moral". A encarnação e a cruz mostram-nos que o homem não pode realizar sua própria salvação, mas que ela "deve vir do além como ato da graça de Deus".[10]

A principal tarefa do intérprete é, pois, despir o mito de seus envoltórios históricos a fim de descobrir a verdade existencial que ele contém.

A "Nova Hermenêutica"

A "nova hermenêutica" tem sido, antes de tudo, uma criação européia a partir da Segunda Guerra Mundial. Emergiu basicamente da obra de Bultmann e foi levada adiante por Ernst Fuchs e Gerhard Ebeling. Muito do que foi dito com vistas à neo-ortodoxia aplica-se também a esta categoria de interpretação. Baseando-se na obra do filósofo Martin Heidegger, Fuchs e Ebeling afirmaram que Bultmann não foi longe o suficiente. A linguagem, dizem eles, não é realidade, mas apenas uma interpretação pessoal da realidade. O uso que fazemos da linguagem é, pois, uma hermenêutica — uma interpretação. A hermenêutica, para ele já não é a ciência que formula princípios pelos quais os textos podem ser compreendidos; é, antes, uma investigação da função hermenêutica da fala como tal, e assim tem um raio de ação muito mais amplo e mais profundo.

A Hermenêutica no Cristianismo Ortodoxo

Durante os últimos 200 anos continuou a haver intérpretes que criam que a Escritura representa a revelação que Deus faz de si próprio — de suas palavras e de suas ações — à humanidade. A tarefa do intérprete, no entender deste grupo, tem sido procurar compreender mais plenamente o significado intencional do primitivo autor. Empreenderam-se estudos da história, da cultura, da língua e da compreensão teológica que cercam os primitivos beneficiários, a fim de que se entenda o que a revelação bíblica significava para esses beneficiários. Eminentes eruditos desta tradição geral (e de maneira alguma esta lista é completa) incluem E. W. Hengstenberg, Carl F. Keil, Franz Delitzsch, H. A. W. Meyer, J. P. Lange, F. Godet, Henry Alford, Charles Ellicott, J. B. Lightfoot, B. F. Wescott, F. J. A. Hort, Charles Hodge, John A. Broadus, Theodore B. Zahn, e outros. Os manuais de hermenêutica desta tradição incluem os de autoria de C. A. G. Keil, Davidson, Patrick Fairbairn, A. Immer, Milton S. Terry, Louis Berkhof, A. Berkeley Mickelsen, e Bernard Ramm.

Resumo do Capítulo

Este capítulo procurou proporcionar uma visão panorâmica muito breve de algumas das principais tendências no desenvolvimento histórico da hermenêutica. Estudos mais completos encontram-se nos livros arrolados abaixo, e o leitor que tenha acesso a eles deve estudar mais a fundo a compreensão histórica do que aquela que esta breve exposição proporciona.

Através da história podemos ver o surgimento gradual dos pressupostos e práticas hoje conhecidos como método de interpretação histórico-gramatical. Este método declara que o significado de um texto é aquele que o autor tinha em mente, e que a intenção do autor pode ser derivada com o máximo de exatidão observando-se os fatos da história e as regras de gramática aplicáveis ao texto sob estudo. As principais contribuições ao desenvolvimento do método histórico-gramatical incluem: (1) o uso predominante da exegese literal da parte de Cristo e dos escritores do Novo Testamento, (2) os princípios teóricos (mas não a prática) de Agostinho, (3) a escola de Antioquia da Síria, (4) os judeus espanhóis dos séculos XII a XV, (5) a obra de Nicolau de Lyra, de Erasmo, e de Reuchlin, (6) a obra de Lutero e de Calvino, e (7) as pessoas citadas na última parte deste capítulo.

Através da história houve um segundo conjunto de pressupostos e métodos que se manifestaram numa variedade de formas. A premissa básica foi que o significado de um texto se descobre, não pelos métodos geralmente empregados para entender-se a comunicação entre pessoas, mas pelo uso de alguma chave interpretativa especial. O resultado líquido do uso da maioria dessas chaves interpretativas tem sido dar o significado do leitor ao texto (*eisegese*), em vez de extrair o significado do autor diretamente do texto (*exegese*). Os exemplos de tais chaves interpretativas incluíram: (1) alegorismo judaico e cristão, (2) a exegese medieval quádrupla, e (3) o "letrismo" e a numerologia dos cabalistas. O liberalismo e a neo-ortodoxia de Pós-Reforma têm fornecido chaves interpretativas provenientes de seus pressupostos acerca da origem e da natureza da Escritura.

---

1. Os adeptos da crítica da redação dizem que a interpretação da Escritura começou consideravelmente antes de Esdras.
2. Richard Longenecker, *Biblical Exegesis in the Apostolic Period* (Grand Rapids: Eerdmans, 1975), pp. 28-50.
3. Ramm, *Protestant Biblical Interpretation*, p. 28.
4. Wenham, *Christ and the Bible*, p. 92.
5. Longenecker, *Biblical Exegesis in the Apostolic Period*, pp. 93-94

6. Veja o capítulo 6 para um estudo da alegoria de Paulo em Gálatas 4.
7. Ramm, *Protestant Biblical Interpretation*, pp. 36-37.
8. Citado em F. W. Farrar, *History of Interpretation* (ed. reimpressa, Grand Rapids: Baker, 1961), p. 347.
9. Farrar, *History of Interpretation*, pp. 363-64, citado em Ramm, *Protestant Biblical Interpretation*, p. 60.
10. Ramm, *Protestant Biblical Interpretation*, pp. 63-69.

3 | Análise Histórico-Cultural e Contextual

Depois de haver completado o estudo deste capítulo, você deve poder:
1. Definir as seguintes expressões:
   a. Análise histórico-cultural
   b. Análise contextual
   c. Análise léxico-sintática
   d. Análise teológica
   e. Análise literária
2. Descrever um modelo de seis passos para interpretar qualquer texto bíblico.
3. Arrolar e descrever três passos fundamentais das análises histórico-cultural e contextual.
4. Encontrar três formas de discernir a intenção de um autor ao escrever determinado livro.
5. Arrolar seis importantes passos secundários da análise contextual.
6. Aplicar os princípios acima na identificação de interpretações errôneas de certos textos bíblicos, e propor interpretações mais precisas de tais textos.

Comentários Introdutórios

Com base na suposição de que um autor é um comunicador que sabe transmitir suas idéias (como cremos que Deus sabe), o capítulo 1 estudou o pressuposto fundamental da teoria hermenêutica segundo o qual *o significado de um texto deve ser aquele que o autor tinha em mente*, em vez dos significados que desejemos atribuir às suas palavras. Se rejeitamos este princípio, não resta critério normativo, obrigatório, que discrimine entre interpretações válidas e inválidas.

O capítulo 2 fez um levantamento das tendências históricas na interpretação, observando que alguns intérpretes têm adotado princípios normais de comunicação enquanto outros caíram em excentricidades de interpretação mediante o desenvolvimento de princípios hermenêuticos fora do comum.

Os capítulos 3 a 8 apresentam os princípios da hermenêutica e mostram como aplicá-los à interpretação de textos bíblicos. A complexa técnica de interpretação bíblica e sua aplicação divide-se em seis passos. São eles:

1. *Análise histórico-cultural* que considera o ambiente histórico-cultural do autor, a fim de entender suas alusões, referências e propósito. A *análise contextual* considera a relação de uma passagem com o corpo todo do escrito de um autor, para melhores resultados de compreensão provenientes de um conhecimento do pensamento geral.

2. A *análise léxico-sintática* revela a compreensão das definições de palavras (lexicologia) e sua relação umas com as outras (sintaxe) a fim de se compreender com maior exatidão o significado que o autor tencionava transmitir.

3. A *análise teológica* estuda o nível de compreensão teológica na época da revelação a fim de averiguar o significado do texto para seus primitivos destinatários. Assim sendo, ela leva em conta textos bíblicos relacionados, quer dados antes, quer depois da passagem em estudo.

4. A *análise literária* identifica a forma ou método literário usado em determinada passagem com vistas às várias formas como história, narrativa, cartas, exposição doutrinal, poesia e apocalipse. Cada uma tem seus métodos únicos de expressão e interpretação.

5. A *comparação com outros intérpretes* coteja a tentativa de interpretação derivada dos quatro passos acima com o trabalho de outros intérpretes.

6. A *aplicação* é o importante passo que traduz o significado de um texto bíblico para seus primeiros ouvintes com o mesmo significado que ele tem para os crentes em época e cultura diferentes. Em alguns casos a transmissão se realiza com razoável facilidade; em outros, como as ordens bíblicas, obviamente influenciadas por fatores culturais (e.g., saudar com ósculo santo), a tradução através de culturas se torna mais complexa.

Neste processo de seis passos, os de um a três pertencem à hermenêutica geral. O quarto passo constitui hermenêutica especial. O sexto — transmissão e aplicação da mensagem bíblica de determinada época e cultura a outra — geralmente não é considerado parte integrante da hermenêutica *per se*, mas está incluído no texto por causa de sua óbvia aplicação ao crente do século XX, tão distanciado, no tempo e na cultura, dos primeiros destinatários da mensagem.

Análise Histórico-Cultural e Contextual

Não se pode interpretar o significado de um texto com certa precisão sem as análises histórico-cultural e contextual. Os dois exemplos abaixo mostram a importância dessa análise:

PC3: Provérbios 22:28 ordena: "Não removas os marcos antigos que puseram teus pais." Significa este versículo:
 a. Não efetuar mudanças na forma como sempre fizemos as coisas.
 b. Não furtar.
 c. Não remover os marcos que orientam os viajantes de cidade para cidade.
 d. Nenhum dos casos acima.
 e. Todos eles.

PC4: Hebreus 4:12 afirma: "A palavra de Deus é viva e eficaz, e mais cortante do que qualquer espada de dois gumes, e penetra até ao ponto de dividir alma e espírito, juntas e medulas, e apta para discernir os pensamentos e propósitos do coração." Este versículo:
 a. Ensina que o homem é tricótomo, visto que fala de uma divisão de alma e espírito?
 b. Ensina que a verdade contida na Palavra de Deus é dinâmica e transformadora, em vez de morta e estática?
 c. Faz uma advertência aos crentes professos?
 d. Incentiva os cristãos a usar a Palavra de Deus de maneira agressiva em seu testemunho e aconselhamento?
 e. Nenhum dos casos acima?

A resposta ao PC3 é (b). Se a sua resposta foi (a) ou (c) é provável que você tenha chegado ao texto subconscientemente indagando: "Que significa este texto para mim?" A pergunta importante, porém, é: "Que é que este texto significava para o seu autor e para o seu primeiro auditório?" Neste caso o marco refere-se ao poste que indicava o fim da propriedade de certa pessoa e o começo da do seu vizinho. Sem as modernas técnicas de agrimensura, era uma coisa relativamente fácil aumentar a área da gleba mudando os marcos. A proibição é dirigida contra um tipo específico de furto.

A solução do PC4 ficará mais clara quando chegarmos ao fim do capítulo, e será respondida então. O objetivo desses exercícios é demonstrar que se não tivermos conhecimento do ambiente e da formação do escritor, fornecidos pelas análises histórico-cultural e contextual, nossa tendência é interpretar seus escritos indagando: "Que é que isto significa para mim?" em vez de "O que isto significava para o próprio autor?" Enquanto não pudermos responder à última pergunta com certa exatidão, não teremos base para reivindicar a validade de nossa interpretação.

Fazem-se as análises histórico-cultural e contextual mediante três perguntas básicas, cada qual mais específica do que a anterior. São elas:

1. Qual o ambiente histórico geral em que o escritor fala?
2. Qual o contexto histórico-cultural específico e a finalidade de seu livro?
3. Qual o contexto imediato da passagem em consideração?

Cada uma dessas perguntas, ou passos gerais, subdivide-se ainda no estudo a seguir.

Determinar o Contexto Geral
Histórico-Cultural

Três perguntas secundárias são importantes para se determinar o contexto histórico-cultural. *Primeira, qual é a situação histórica geral com a qual se defrontam o autor e seus leitores?* Quais eram as situações políticas, econômicas e sociais? Quais eram as principais ameaças e preocupações? O conhecimento do contexto histórico-cultural é decisivo para responder a perguntas básicas acerca de um texto, como "O que está acontecendo ao autor de Lamentações? Está ele sofrendo de um colapso nervoso ou de uma reação de angústia normal?" Ou, "Quais as implicações de Cantares de Salomão para uma teologia de expressão sexual cristã?"

Segunda, quais os costumes cujo conhecimento esclarecerá o significado de determinadas ações? Por exemplo, no capítulo 7 de Marcos, Jesus censura os fariseus pelo conceito que tinham de Corbã. Na prática do Corbã um homem poderia declarar que todo o seu dinheiro iria para o tesouro do templo quando ele morresse, e, uma vez que o dinheiro pertencia a Deus, já não lhe cabia a responsabilidade do sustento dos pais idosos. O argumento de Jesus é que os homens estavam usando essa tradição farisaica para invalidar a ordem de Deus (o quinto mandamento). Sem conhecimento da prática cultural do Corbã, não entenderíamos essa passagem.

É fácil encontrar outros exemplos de acréscimo ao significado que o entendimento dos costumes culturais proporciona. A conhecida parábola das dez virgens (Mateus 25:1-13) destinava-se a inculcar nos ouvintes a importância da preparação cuidadosa, ao contrário da negligência, para a vinda do Senhor. A imprudência das cinco virgens néscias acentua-se ainda mais quando nos conscientizamos de que a espera do noivo geralmente tomava várias horas, e que as lâmpadas muitas vezes usadas nessas horas de espera eram pequeninas (cabiam diversas delas na palma da mão). A imprudência de vir à espera do noivo com tal lâmpada sem azeite extra (v. 3) acentuou efetivamente o ponto que Cristo queria frisar.

De igual modo, quando Cristo enviou dois de seus discípulos à procura de um lugar em que pudessem celebrar a Páscoa na noite anterior à sua crucificação, ele os enviou com instruções inequícas, fato que muitas vezes escapa à nossa atenção. A hostilidade dos fariseus era tão grande que o segredo era de suma importância se ele desejasse terminar a refeição com os discípulos sem interrupção. A ordem de Cristo (Marcos 14:12-14) foi que encontrariam um homem levando um cântaro de água; acompanhassem esse homem ao lugar onde eles celebrariam a páscoa. Na antiga Palestina, carregar água era considerado trabalho de mulher; normalmente, não se via homem carregando cântaros d'água. Essa informação não deixaria dúvida acerca de quem eles deviam seguir. Este pode ter sido um sinal secreto, combinado de antemão, que nos dá um vislumbre da tensão e do perigo daqueles últimos dias antes da crucificação. Convém repetir que o conhecimento dos detalhes culturais alerta-nos para o significado das ações que de outra maneira poderiam escapar à nossa compreensão.

Terceira, qual era o nível de comprometimento espiritual da audiência? Muitos dos livros bíblicos foram escritos em épocas em que o nível de compromisso dos crentes era baixo por causa da carnalidade, do desestímulo, ou da tentação por parte dos incrédulos ou apóstatas. Não se pode entender adequadamente o significado do texto se esses fatores são desconhecidos. Como, por exemplo, deveríamos entender um homem que intencionalmente se casa com uma prostituta, tem com ela três filhos aos quais dá nomes extravagantes, chora por ela continuar em sua prostituição e infidelidade, encontra-a depois que ela o deixou e se tornou escrava, resgata-a, e depois fala com ela como se estivesse num estado mental dissociado? Está este homem sofrendo de um "complexo de resgatador", ou é ele psicótico? Nem uma coisa nem outra, é claro, quando examinamos o contexto da vida de Oséias, dentro do qual essas ações assumem poderoso sentido e significação.

Em resumo, pois, o importante primeiro passo para se compreender adequadamente qualquer passagem bíblica é determinar o ambiente histórico-cultural em que o autor escreveu. Bons comentários exegéticos muitas vezes proporcionam tal informação como parte de suas introduções; as bíblias de estudo trazem essa informação em forma bem condensada.

Determinar o Contexto Histórico-Cultural Específico e a Finalidade de um Livro

O segundo passo, mais específico, é determinar a finalidade (ou finalidades) explícita de um livro. Algumas perguntas secundárias são guias úteis:

1. Quem foi o autor? Qual era seu ambiente e sua experiência espirituais?
2. Para quem estava ele escrevendo (e.g., crentes, incrédulos, apóstatas, crentes que corriam o perigo de tornar-se apóstatas)?
3. Qual foi a finalidade (intenção) do autor ao escrever este livro especial?

Geralmente é possível descobrir o autor e seus destinatários por via dos dados internos (textuais) ou dos externos (históricos). Em alguns casos a prova parece razoavelmente conclusiva; em outros, o melhor que se pode conseguir é uma hipótese culta. Um exemplo é a epístola aos Hebreus. O próprio livro não contém evidência direta de seus destinatários nem de seu autor. Recebeu o nome de *Epístola aos Hebreus*, com base em evidência dedutiva. A epístola contém numerosas alusões ao Antigo Testamento que não fariam sentido para o pagão comum. A todo instante ela contrasta a aliança mosaica com a cristã, mostrando a superioridade da nova sobre a antiga, linha de raciocínio que não teria sentido para os que não devotavam lealdade alguma à fé hebraica. Por esses e por diversos outros motivos podemos estar certos de que o livro foi antes de tudo escrito para os judeus e não para os gentios, e que o título *Epístola aos Hebreus* é, pois, adequado.

A questão da autoria de Hebreus é assunto totalmente à parte. Podemos dizer com certa segurança que não foi Paulo o autor porque a expressão literária, as formas de pensamento e as atitudes para com a lei mosaica, encontradas nesse livro, diferem de maneira significativa das que encontramos nos livros conhecidos como de autoria paulina. Contudo, além dessas indicações, não temos prova concreta de seu autor. A maioria das hipóteses formuladas são conjecturas que não contam com o apoio de prova sólida. Para finalidades práticas, o problema da autoria do livro não é tão importante quanto o fato de que a igreja primitiva tenha reconhecido sua divina inspiração e autoridade, e por isso o incluiu no cânon.[1]

Depois que o estudo nos revelar o contexto específico histórico-

-cultural em que o livro foi escrito, devemos determinar a finalidade dele. São três as formas fundamentais de fazê-lo:

Em primeiro lugar, observar a declaração explícita do autor ou a repetição de certas frases. Por exemplo, Lucas 1:1-4 e Atos 1:1 dizem-nos que o propósito de Lucas era apresentar uma narração coordenada do começo da era cristã. João diz-nos (20:31) que tinha em mira apresentar um registro do ministério de Jesus para que os homens cressem. A primeira carta de Pedro é uma exortação a que os crentes permanecessem firmes em meio à perseguição (5:12). Dez vezes se repete a frase "são estas as gerações de" no livro do Gênesis; quer isto dizer que o objetivo desse livro é registrar os primeiros grupos da raça humana e as intervenções iniciais de Deus na história do homem.

Em segundo lugar, observar a parte parenética (hortativa) de seu escrito. Uma vez que as exortações fluem do propósito, elas propiciam importante pista das intenções do autor. A carta aos Hebreus, por exemplo, está entremeada de exortações e advertências; por isso pouca dúvida existe de que o objetivo do autor era persuadir os crentes judeus que passavam por perseguições (10:32-35) a não voltar ao judaísmo, mas manter-se fiéis à sua nova profissão de fé (10:19-23; 12:1-3). As cartas paulinas, de igual modo, estão cheias de fatos teológicos seguidos de imediato por um "portanto" e uma exortação. Se o significado do fato é incerto, a natureza da exortação muitas vezes será valiosa para a compreensão de seu significado.

Em terceiro lugar, observar os pontos omitidos ou os problemas enfocados. Por exemplo, o escritor de 1 e 2 Crônicas não nos dá uma história completa de todos os acontecimentos nacionais durante o reinado de Salomão e da divisão do reino. Ele seleciona fatos que mostram que Israel só pode resistir enquanto permanecer fiel aos mandamentos de Deus e à sua aliança. Como apoio deste ponto, vemos que ele usa com freqüência a frase "— fez o que era mau [ou reto] perante o Senhor".

Uma boa maneira de averiguar se entendemos ou não o objetivo do autor é resumir esse objetivo (ou objetivos) em uma única sentença. É preciso que estejamos atentos para não interpretar nenhuma passagem sem primeiro entender a intenção do autor ao escrever o livro que a contém.

Desenvolver uma Compreensão do Contexto Imediato

Como método de estudo bíblico, tomar textos para efeito de prova é relegado a plano secundário porque era neste passo importante: interpreta os versículos sem dar a devida atenção ao seu contexto. Algumas perguntas secundárias ajudam a entender um texto em seu contexto imediato.

Primeira, quais os principais blocos de material e de que forma se encaixam no todo? Alternativamente, qual é o esboço do livro? (Os esboços devem levar em conta o fato de que alguns escritores bíblicos são mais organizados do que outros.)

Segunda, como a passagem que estamos considerando contribui para a corrente de argumentação do autor? Alternativamente, qual a ligação entre a passagem que estamos estudando e os blocos de material que vêm imediatamente antes e depois? De modo geral há uma ligação lógica e/ou teológica entre duas passagens adjacentes quaisquer. Partes do livro de Provérbios podiam ser consideradas como exceção, mas ainda aqui os agrupamentos lógicos de idéias são amiúde evidentes.

Terceira, qual era a perspectiva do autor? Às vezes os autores escrevem como se estivessem olhando com os olhos de Deus (como porta-vozes de Deus), especialmente em assuntos de moral, mas em seções narrativas é freqüente descreverem fatos da forma como lhes parecem da perspectiva humana (como jornalistas falando fenomenologicamente). Falamos do pôr-do-sol, uma metáfora fenomenológica para a descrição mais trabalhosa de que uma seção da Terra está girando para fora do caminho dos raios diretos do sol. É importante distinguir entre a intenção do autor de ser entendido como porta-voz direto de Deus, e sua intenção de falar como um jornalista humano que descreve um evento fenomenologicamente para que se tenha uma compreensão exata do seu significado.

Como exemplo da importância deste princípio, consideremos a questão do dilúvio: foi universal ou local? Por via do contexto é difícil determinar se a linguagem dos capítulos 6-9 do Gênesis pretendia ser entendida numenologicamente (da perspectiva divina) ou fenomenologicamente (da perspectiva humana). Se as frases "Pereceu toda carne" e "cobriram todos os altos montes" são entendidas numenologicamente, subentende-se um dilúvio universal. Se essas mesmas frases são entendidas fenomenologicamente, elas poderiam significar "pereceram todos os animais que pude observar", e "todos os montes que pude observar ficaram cobertos". Uma descrição fenomenológica poderia implicar, pois, ou um dilúvio universal ou um local.

A interpretação tradicional desses versículos tem sido numenológica. Milton Terry crê que a descrição do dilúvio deveria ser entendida de maneira fenomenológica. Diz ele:

A narrativa do dilúvio é, provavelmente, o relato de uma testemunha ocular. A vividez da descrição e a minudência dos detalhes contêm a mais vigorosa evidência de que assim é. Foi, com probabilidade, uma tradição transmitida de Sem para seus descendentes até que, finalmente, se incorporou nos livros de Moisés. As expressões "toda carne", "todos os altos montes" e "todo o céu" denotam simplesmente que o observador conhecia a todos eles.

Do ponto de vista hermenêutico, o princípio importante é que os escritores bíblicos às vezes tencionaram escrever de uma perspectiva numenológica e às vezes de uma fenomenológica. A interpretação que dermos ao que eles pretendiam dizer erra se deixamos de estabelecer esta distinção.

Quarta, está a passagem declarando verdade descritiva ou prescritiva? As passagens *descritivas* relatam o que foi dito ou o que aconteceu em determinado tempo. O que Deus diz é verdadeiro; o que o homem diz, pode ser verdadeiro ou não; o que Satanás diz, geralmente é uma mistura de verdade e erro. Quando a Escritura descreve ações humanas sem comentá-las, não se deve, necessariamente, supor que tais ações sejam aprovadas.

Quando a Bíblia descreve uma ação de Deus com respeito a seres humanos numa passagem narrativa, não se deve supor que seja este o modo como ele sempre opera na vida dos crentes em todos os pontos da história. Os métodos que Deus empregou nos Evangelhos ou no livro de Atos são muitas vezes declarados, erradamente, como seus métodos na vida de todos os crentes. Contudo, Deus tem reagido de várias formas a diferentes homens. Quais destas podem ser consideradas como norma para hoje? Como se deveria escolher um caso de preferência a outro, como o incidente normativo?

As passagens *prescritivas* da Escritura são tidas como articuladoras de princípios normativos. As epístolas são antes de tudo prescritivas; mas de quando em quando elas contêm casos de prescrições individuais em vez de universais (e.g., a variedade de governos eclesiásticos que parecem ter prevalecido nas comunidades da igreja primitiva). As diferenças entre várias passagens prescritivas sugerem que não se deve universalizar nenhuma delas, mas aplicar cada uma de acordo com a situação. Quando há somente uma passagem ou um problema prescritivo, ou quando as várias passagens prescritivas coincidem com outra, geralmente o ensino da passagem é tido como normativo. A análise contextual é a mais válida forma de diferençar entre passagens descritivas e prescritivas.

Quinta, o que constitui o núcleo de ensino da passagem e o que representa apenas detalhe incidental? Algumas das principais heresias da história da igreja têm sido sustentadas por exegese que deixou de estabelecer a distinção acima. Por exemplo, um importante ensino da alegoria de Cristo como a videira (João 15) é que derivamos de Cristo, e não de nós mesmos, o poder para viver vidas espirituais. Usando um detalhe incidental como núcleo de ensino, um grupo de primitivos teólogos (mais tarde designados de heréticos) declarava que uma vez que Cristo é a videira, e as videiras são parte da ordem criada, segue-se que Cristo é parte da ordem criada! Os pelagianos do começo do quinto século fizeram algo semelhante com a história do filho pródigo. Na sua maneira de argumentar, uma vez que o filho pródigo se arrependeu e voltou para o pai sem o auxílio de mediador, segue-se que não necessitamos de mediador.

Um exemplo de nossos dias da falha em distinguir entre detalhes incidentais e o núcleo do ensino de uma passagem foi dado por um educador cristão numa preleção em classe, há poucos anos. O debate girava em torno de 1 Coríntios 3:16: "Sois santuário de Deus" ou "sois o templo de Deus", dependendo da versão usada. O ponto central de Paulo nesse versículo é a santidade do corpo de Cristo, a igreja. Concentrando-se num detalhe incidental (a estrutura do templo do Antigo Testamento) esse educador concluiu que uma vez que o templo tinha três partes (um pátio exterior, um pátio interior e um santo dos santos), e uma vez que os cristãos são chamados de santuário, conclui-se, portanto, que o homem possui três partes — corpo, alma e espírito!

Finalmente, a quem se destina a passagem? Há um corinho bem conhecido que diz: "Cada promessa no Livro é para mim." Pode parecer piedoso, mas o conceito é hermeneuticamente inválido. Por certo não desejaríamos reivindicar *todas* as promessas das Escrituras (e.g., Mateus 23:29-33)! Nem desejaríamos reivindicar todas as ordens dadas aos crentes, tal como a ordem a Abraão de sacrificar seu filho (Gênesis 22:3). É bem conhecida a historieta humorística do jovem que procurava freneticamente a vontade de Deus para a sua vida e resolveu seguir a orientação bíblica, fosse ela qual fosse; a primeira passagem sobre a qual seus olhos caíram foi Mateus 27:5 ("Então Judas. . . retirou-se e foi enforcar-se"); a segunda passagem foi Lucas 10:37 ("Vai, e procede tu de igual modo"); e a terceira, João 13:27 ("O que pretendes fazer, faze-o depressa").

Embora nossa tendência seja a de rir da tolice de aplicar um texto sem relacioná-lo com seu contexto, é significativo o número de cristãos que adotam esse método a fim de descobrir a vontade de Deus para suas vidas. Um procedimento hermenêutico mais válido é fazer as perguntas que estudamos acima. Quem está falando? O ensino é normativo ou se destina a determinados indivíduos? A quem se dirige a passagem?

Promessas e ordens geralmente se dirigem a um de três grupos: Israel como nação, crentes do Antigo Testamento, ou crentes do Novo. As promessas e ordens normativas endereçadas aos crentes do Novo Testamento são as que, com maior probabilidade, aplicam-se aos cristãos de nossos tempos. Algumas das promessas e ordens dirigidas aos crentes do Antigo Testamento também se aplicam a nós, dependendo do contexto e do conteúdo (veja o capítulo 5). Alguns comentaristas "espiritualizam" as promessas e ordens físicas feitas à nação de Israel e depois as aplicam também às situações de nossos dias, mas é difícil justificar esta prática visto que ela viola a intenção do autor.

Resumo do Capítulo

Os passos seguintes estão envolvidos na análise histórico-cultural e contextual:

1. Determinar o ambiente geral histórico e cultural do escritor e de sua audiência.
   a. Determinar as circunstâncias históricas gerais.
   b. Estar atento às circunstâncias e normas culturais que adicionam significado a determinadas ações.
   c. Discernir o nível de compromisso espiritual da audiência.
2. Determinar o propósito (ou propósitos) do autor ao escrever um livro.
   a. Observar as declarações explícitas ou frases repetidas.
   b. Observar as seções parenéticas ou hortativas.
   c. Observar os problemas omitidos ou os enfocados.
3. Entender de que forma a passagem se enquadra no contexto imediato.
   a. Localizar os principais blocos de material no livro e mostrar como se encaixam num todo coerente.
   b. Mostrar como a passagem se ajusta à corrente de argumento do autor.
   c. Determinar a perspectiva que o autor tenciona comunicar — numenológica (a realidade das coisas) ou fenomenológica (a aparência das coisas).

d. Distinguir entre verdade descritiva e verdade prescritiva.
e. Distinguir entre detalhes incidentais e ponto central do ensino de uma passagem.
f. Localizar a pessoa ou categoria de pessoas às quais a passagem é dirigida.

Exercícios

PC4: A esta altura você já tem o conhecimento necessário para saber como encontrar a resposta correta a esta pergunta formulada anteriormente. Veja o que você pode fazer.

PC5: Você vê relação entre a falácia hermenêutica do "letrismo" e da interpretação que deixa de distinguir entre núcleo do ensino e detalhe incidental? Se vê, descreva a natureza desta similaridade.

PC6: Entre os conselheiros cristãos, há diferenças de opinião com referência ao significado e utilidade de sonhos no aconselhamento. Eclesiastes 5:7 diz que "na multidão dos sonhos há vaidade, assim também nas muitas palavras". Use seu conhecimento de hermenêutica para discernir tão precisamente quanto possível o significado deste versículo, e depois estude as implicações desse significado para seu uso de sonhos em aconselhamento.

PC7: Um autor cristão estava analisando o modo de descobrir a vontade de Deus para a vida de alguém e insistia em que a paz interior era um indicador importante. O único versículo que usou em apoio de seu argumento foi Colossenses 3:15 ("Seja a paz de Cristo o árbitro em vossos corações"). Você estaria de acordo com ele, usando este versículo para provar sua alegação? Por que estaria, ou por que não?

PC8: Você fala com uma pessoa sobre a necessidade de uma relação pessoal com Jesus Cristo como o único meio de salvação. Ela diz que viver uma vida moral é o que Deus espera de nós, e lhe mostra Miquéias 6:8 para confirmar seu ponto de vista.

> Ele te declarou, ó homem, o que é bom; e que é o que o Senhor pede de ti, senão que pratiques a justiça e ames a misericórdia, e andes humildemente com o teu Deus.

Argumentaria você que este versículo está de acordo com o seu ponto de vista, e nesse caso, como o faria? Se você aceita o ponto de vista de que a salvação no Antigo Testamento era pelas obras (como este versículo parece sugerir), como conciliará este fato com a declaração de Paulo em Gálatas 2:16 de que "por obras da lei ninguém será justificado"?

PC9: Um estimado conselheiro cristão, falando sobre o problema que algumas pessoas têm de dizer sim quando querem dizer não e finalmente explodem de raiva pela frustração reprimida, disse:

> Ser sempre uma pessoa boazinha e depois transformar seus verdadeiros sentimentos em úlcera estomacal é derrotar-se a si próprio. Talvez você consiga o que deseja — momentaneamente — descarregando sua ira sobre outros, mas você não gosta de si próprio por isso.
>
> Considere desabafar o que você está sentindo. Como disse Jesus: "Seja, porém, a tua palavra: Sim, sim; não, não." Qualquer coisa além disto significa problema.

Concorda você com o uso que este autor faz da Escritura (Mateus 5:33-37) para provar o que diz? Por que concorda, ou por que não?

PC10: Um cristão perdeu o emprego durante a recessão de 1974-1975. Ele e a esposa interpretaram Romanos 8:28 ("todas as coisas cooperam para o bem") no sentido de que ele perdeu o emprego a fim de que Deus pudesse dar-lhe um mais bem remunerado. Conseqüentemente, ele rejeitou diversas oportunidades de emprego de remuneração inferior ou igual à que ele tinha, e permaneceu na condição de desempregado por mais de dois anos antes de voltar ao trabalho. Concorda você com a interpretação que ele deu a este versículo? Por que sim, ou por que não?

PC11: Hebreus 10:26-27 declara: "Porque, se vivermos deliberadamente em pecado, depois de termos recebido o pleno conhecimento da verdade, já não resta sacrifício pelos pecados; pelo contrário, certa expectação horrível de juízo e fogo vingador prestes a consumir os adversários." Uma pessoa extremamente deprimida dirige-se a você. Uma semana atrás, de propósito e deliberadamente, furtou alguma mercadoria de uma loja, e agora, com base nos versículos acima, crê que não há possibilidade de arrependimento e perdão. Como você a aconselharia?

PC12: Um versículo predileto usado nas canções de Natal e em alguns cartões de condolências é Isaías 26:3 ("Tu Senhor, conservarás em perfeita paz aquele cujo propósito é firme; porque ele confia em ti"). São válidos esses usos deste versículo?

PC13: Uma senhora procura-o por solicitação do marido. Diz ela que teve uma visão com instruções para que deixasse o marido e a família e fosse para a Bulgária como missionária. O marido procurou raciocinar com ela, mostrando que essa visão devia ter outra explicação; não vinha de Deus, uma vez que (1) os filhos e o marido necessitavam dela, (2) Deus não fez aos demais membros da família chamado semelhante, (3) ela não tem sustento financeiro, e (4) as juntas de missões às quais ela se candidatou não a aceitaram. Sua contínua resposta a tudo isto é citar Provérbios 3:5-6 ("Confia no Senhor de todo o teu coração, e não te estribes no teu próprio entendimento. Reconhece-o em todos os teus caminhos, e ele endireitará as tuas veredas"). De que maneira você a aconselharia, particularmente com vistas a estes versículos, visto que parecem constituir esteio de sua obsessão?

PC14: Você acaba de dizer a alguém que não concorda com o uso oracular da Escritura (consultar a Bíblia abrindo-a e aplicando as primeiras palavras que lemos como instruções de Deus a nós), porque geralmente isso interpreta as palavras sem relacioná-las com seu contexto. Essa pessoa argumenta que Deus muitas vezes usou este método para trazer-lhe consolo e orientação. Como responderia você?

---

1. A esta altura devemos considerar a relação entre crítica histórica e análise histórico-cultural. Alguns cristãos evangélicos talvez se preocupem com a similaridade de procedimento entre as duas. Conforme mencionado no capítulo 1, a crítica histórica estuda a autoria de um livro, a data e as circunstâncias históricas que cercam sua composição, a autenticidade de seu conteúdo, e sua unidade literária. A análise histórico-cultural também se envolve nessas tarefas numa tentativa de entender os significados do autor. Por conseguinte, as duas expressões se sobrepõem de maneira significativa.

A crítica histórica, no entanto, começa com pressupostos positivos e conclui com declarações contrárias à fé cristã ortodoxa. (Positivismo é a posição filosófica segundo a qual os homens nada podem conhecer senão os fenômenos observáveis, e portanto devem rejeitar toda especulação sobre as origens ou causas últimas.) A análise histórico-cultural começa com pressupostos bíblicos ortodoxos, situação que difere radicalmente da crítica histórica. Afirmar o valor da análise histórico-cultural não é afirmar a validade da crítica histórica.

4 Análise Léxico-Sintática

Completado o estudo deste capítulo, você deve poder:
1. Apontar dois principais motivos da importância da análise léxico-sintática.
2. Lembrar-se de sete passos envolvidos na análise léxico-sintática.
3. Apontar três métodos para determinar os significados de palavras antigas, e comparar a validade de cada método.
4. Lembrar-se de cinco métodos para determinar qual dos diversos possíveis significados de uma palavra era realmente o tencionado pelo autor em dado contexto.
5. Apontar e descrever os três principais tipos de paralelismo encontrados na poesia hebraica.
6. Explicar a diferença entre paralelos verbais e paralelos reais.
7. Definir os seguintes termos: análise léxico-sintática, sintaxe, lexicologia, denotação, conotação e figuras de linguagem.
8. Explicar o uso dos seguintes instrumentos léxicos e ser capaz de usá-los:
   a. Concordâncias hebraica, grega e portuguesa.
   b. Léxicos.
   c. Glossários teológicos.
   d. *Figuras de Linguagem Usadas na Bíblia*, de Bullinger.
   e. Bíblias interlineares.
   f. Léxicos analíticos.
   g. Gramáticas hebraica e grega.

Definições e Pressuposições

Análise léxico-sintática é o estudo do significado de palavras tomadas isoladamente (lexicologia) e o modo como essas palavras se combinam (sintaxe), a fim de determinar com maior precisão o significado que o autor pretendia lhes dar.

A análise léxico-sintática não incentiva o literalismo cego: ela reconhece quando um autor tenciona que suas palavras sejam compreendidas de modo literal, quando de maneira figurativa, e quando de modo simbólico, e então as interpreta concordemente. Assim, quando Jesus disse "eu sou a porta", "eu sou a videira", e "Eu sou o pão da vida", entendemos essas expressões como comparações, conforme ele tencionava. Quando ele disse: "Vede, e acautelai-vos do fermento dos fariseus e saduceus", sua intenção era que a palavra *fermento* simbolizasse a doutrina desses grupos (Mateus 16:5-12). Quando disse ao paralítico: "Levanta-te, toma o teu leito, e vai para tua casa", ele esperava que o paralítico obedecesse literalmente à sua ordem, o que o homem, de fato, fez (Mateus 9:6-7).

A análise léxico-sintática fundamenta-se na premissa de que embora as palavras possam assumir uma variedade de significados em contextos diferentes, elas têm apenas um significado intencional em qualquer contexto dado. Assim, se eu dissesse "Ele é ou está verde", essas palavras poderiam significar que (1) ele é inexperiente, ou (2) ele está doente, ou (3) ele está assustado. Conquanto minhas palavras pudessem significar qualquer uma dessas três coisas, o contexto geralmente indicará qual dessas idéias eu desejo comunicar. A análise léxico-sintática ajuda o intérprete a determinar a variedade de significados de uma palavra ou de um grupo de palavras, e então declarar que o significado X é mais provável do que o significado Y ou Z de ser a intenção do autor nessa passagem.

Necessidade da Análise Léxico-Sintática

Vê-se a necessidade deste tipo de análise nas seguintes citações de dois teólogos de nomeada. Alexander Carson disse, com muita propriedade:

> Homem algum tem o direito de dizer, como alguns costumam fazê-lo: "O Espírito me diz que tal ou tal é o significado de uma passagem." Como pode estar ele seguro de que é o Espírito Santo, e não um espírito enganador, a não ser pela evidência de que a interpretação é o sentido legítimo das palavras?

John A. Broadus, famoso comentarista, observa:

> É fato lamentável que os universalistas. . . [e] os mórmons consigam encontrar na Bíblia um apoio aparente

para suas heresias, sem interpretar mais frouxamente, sem fazer maior violência ao significado e conexão do Texto Sagrado do que às vezes é feito por homens ortodoxos, devotos e até inteligentes.[1]

A análise léxico-sintática é necessária porque sem ela (1) não temos certeza válida de que nossa interpretação é o significado que Deus tencionava comunicar, e (2) não temos bases para dizer que nossas interpretações da Escritura são mais válidas do que as dos grupos heréticos.

Passos na Análise Léxico-Sintática

Às vezes a análise léxico-sintática é difícil, mas com freqüência ela produz resultados empolgantes e significativos. A fim de tornar este processo complexo um tanto mais fácil de entender, ele foi subdividido num procedimento de sete passos:

1. *Apontar a forma literária geral.* A forma literária que um autor usa (prosa, poesia etc.) influencia o modo como ele pretende que suas palavras sejam entendidas.

2. *Investigar o desenvolvimento do tema do autor e mostrar como a passagem em consideração se encaixa no contexto.* Este passo, já iniciado como parte da análise contextual, dá uma perspectiva necessária para determinar o significado das palavras e da sintaxe.

3. *Apontar as divisões naturais do texto.* As principais unidades conceptuais e as declarações transicionais revelam o processo de pensamento do autor e, portanto, tornam mais claro o significado que ele quis dar.

4. *Identificar os conectivos dentro dos parágrafos e sentenças.* Os conectivos (conjunções, preposições, pronomes relativos) mostram a relação que existe entre dois ou mais pensamentos.

5. *Determinar o significado isolado das palavras.* Qualquer palavra que sobrevive por muito tempo numa língua começa a assumir uma variedade de significados. Por isso é necessário procurar os diversos possíveis significados de palavras antigas, e então determinar qual desses possíveis significados é o que o autor tencionava transmitir num contexto específico.

6. *Analisar a sintaxe.* A relação das palavras entre si expressa-se por meio de suas formas e disposição gramaticais.

7. *Colocar os resultados de sua análise léxico-sintática em palavras que não tenham conteúdo técnico, fáceis de ser entendidas, que transmitam claramente o significado que o autor tinha em mente.*

Forma Literária Geral

A forma literária de um escrito influencia o modo como o autor tencionava que fosse interpretado. Quem compõe poesia não emprega as palavras do mesmo modo que o faz quem escreve prosa. Este fato adquire significado quando reconhecemos que *um terço* do Antigo Testamento hebraico foi escrito em forma de poesia. Interpretar essas passagens como prosa, o que muitas vezes se faz, é interpretar mal.

Para fins de análise é suficiente, a esta altura, falar de três formas literárias gerais — prosa, poesia e literatura apocalíptica. Os escritos apocalípticos, encontrados de maneira muitíssimo óbvia nas passagens visionárias de Daniel e do Apocalipse, amiúde contêm palavras empregadas com sentido simbólico. A prosa e a poesia empregam palavras com sentidos literal e figurativo; na prosa predomina o uso literal; na poesia, usa-se com maior freqüência a linguagem figurativa.

É difícil discriminar entre a poesia e a prosa hebraicas, especialmente levando-se em conta que a poesia se caracteriza pelo ritmo de idéias e não pelo ritmo do som. (Voltaremos a este assunto mais adiante neste capítulo.) É por isso que as traduções mais recentes colocam a poesia em forma de verso de sorte que se possa distingui-la facilmente da prosa, proporcionando importante vantagem interpretativa sobre as traduções mais antigas.

Desenvolvimento do Tema

Este passo, já iniciado como parte da análise contextual, é importante por dois motivos. Primeiro, o contexto é a melhor fonte de dados para a determinação de qual dos diversos possíveis significados de uma palavra é o que o autor tinha em mente. Segundo, a não ser que uma passagem seja colocada na perspectiva de seu contexto, há sempre o perigo de ela se envolver tanto nas tecnicidades de uma análise gramatical que o intérprete perca a visão da idéia (ou idéias) básica que as palavras realmente comunicam.

Divisões Naturais do Texto

As divisões em versículos e capítulos que hoje constituem parte de nosso modo de pensar não existiam nas primitivas Escrituras. Essas divisões foram acrescentadas muitos séculos depois que a Bíblia foi escrita, como auxílio na localização de passagens. Embora as divisões em versículos atendam bem a esta finalidade, a divisão do texto versículo por versículo tem a nítida desvantagem de dividir os pensamentos de modo antinatural.

Na prosa moderna estamos habituados à divisão de pensamentos em unidades conceituais mediante o uso de sentenças e parágrafos. A primeira sentença de um parágrafo serve de transição de um conceito para o seguinte, ou como uma tese elaborada em sentenças subseqüentes. Uma vez que nos acostumamos a entender desta forma conceitos escritos, algumas das traduções mais recentes mantiveram a numeração dos versículos, mas colocaram as idéias em estrutura de sentença e parágrafo, facilitando ao leitor acompanhar a corrente do processo conceitual do autor.

Conectivos Dentro de Parágrafos e Sentenças

Os conectivos, incluindo conjunções, preposições, pronomes relativos etc., muitas vezes auxiliam no acompanhar a progressão do pensamento. Quando se emprega um pronome relativo, é importante indagar: "Qual o substantivo que está sendo debatido?" Um "portanto" muitas vezes proporciona o elo de ligação entre uma discussão teorética e as aplicações práticas dessa argumentação.

À guisa de ilustração, examinemos Gálatas 5:1 que diz: "Permanecei, pois, firmes e não vos submetais de novo a jugo de escravidão." Tomado isoladamente, o versículo poderia ter qualquer de diversos significados: poderia referir-se à escravidão humana, à escravidão política, à escravidão ao pecado, e assim por diante. O "pois" indica, contudo, que este versículo é a aplicação de um ponto que Paulo apresentou no capítulo anterior. Uma leitura dos argumentos de Paulo (Gálatas 3:1 — 4:30) e de sua conclusão (4:31) esclarece o significado do outrora ambíguo 5:1. Paulo está incentivando os gálatas a não se escravizar de novo ao jugo do legalismo (i.e., esforçar-se por ganhar a salvação pelas boas obras).

Significados da Palavra

Em sua maioria, as palavras que sobrevivem por longo tempo numa língua adquirem muitas denotações (significados específicos) e conotações (implicações complementares). Ao lado de seus significados específicos, muitas vezes as palavras têm uma variedade de denotações vulgares, isto é, usos encontradiços na conversação comum. Consideremos algumas designações comuns da palavra *acabado*.

O muro está acabado — que significa "O muro está concluído, completo". Olavo Bilac é o tipo acabado do poeta — que significa

"Olavo Bilac é um poeta primoroso, perfeito".

José está muito acabado — que significa "José está envelhecido, esgotado, abatido".

As palavras ou frases podem ter denotações vulgares e também técnicas. Por exemplo, a frase "Há uma onda de coqueluche na cidade" tem um sentido quando empregada como termo médico, mas o sentido muda por completo quando se diz que "a coqueluche da cidade é andar com calças 'jeans' rostidas ou desbotadas", onde a linguagem é vulgar.

As denotações literais podem, finalmente, conduzir a denotações metafóricas. Usada literalmente, a palavra *verde* designa uma cor; empregada com sentido metafórico, pode estender-se desde a cor de uma laranja que ainda não amadureceu até à idéia de uma pessoa imatura, ou inexperiente.

As palavras também possuem conotações, significados emocionais implícitos, não declarados explicitamente. Dizer-se que fulano é incorrigível não tem a mesma conotação quando se diz que ele tem a coragem de sustentar suas convicções. A incorrigibilidade traz consigo conotação negativa (implícita mas negavelmente presente); ter a coragem de sustentar suas convicções é de conotação mais positiva ou, pelo menos, neutra.

Uma palavra que possui mais de uma denotação pode, também, ter mais de uma conotação. Quando se emprega a palavra *verde* como cor, ela tem conotações relativamente neutras para a maioria das pessoas; quando empregada de modo metafórico, recebe conotação pejorativa.

Método para Descobrir as Denotações de Palavras Antigas

Há três métodos geralmente adotados para se descobrir a variedade de significados que uma palavra possa ter. O primeiro é estudar os modos como ela foi empregada em outra literatura antiga — literatura secular, a Septuaginta (tradução grega do Antigo Testamento feita antes de Cristo), e outros escritos bíblicos do mesmo autor ou de outros.

O segundo método é estudar os sinônimos, procurando pontos de comparação bem como de contraste. Os primitivos estudiosos de lexicologia muitas vezes estabeleciam distinções mais ou menos rígidas entre palavras que tinham significado semelhante mas não exatamente equivalente. A tendência hoje é no sentido de propor que alguns sinônimos tinham, em geral, certas nuanças de significado que contrastam com o emprego geral de outras palavras. Por exemplo, duas palavras gregas que significam amor (*agapao* e *phileo*), de fato têm significados diferentes (e.g., João 21:15-17); contudo, de quando em quando parecem ter sido usadas como sinônimos (Mateus 23:6; 10:37; Lucas 11:43; 20:46).

O terceiro método para a determinação dos significados de uma palavra é a etimologia — o estudo do significado das raízes históricas da palavra. Extensos estudos etimológicos são hoje usados com menor freqüência do que antes por causa de duas desvantagens: (1) as raízes históricas das palavras são, com freqüência, conjeturais, e (2) os significados das palavras muitas vezes mudam radicalmente com o passar do tempo, de sorte que pouca ou nenhuma ligação evidente resta entre o significado original da palavra e seu significado algumas centenas de anos depois.

A língua inglesa nos proporciona vários exemplos que esclarecem esta mudança. A palavra *entusiasmo* originariamente significava "possuído por um deus", e assim foi empregada até começos do séxulo XIX. Quando apanho um dente-de-leão de meu gramado não estou literalmente apanhando um "dente" de leão, embora seja este o significado da expressão francesa (*dent de lion*) da qual deriva.

Assim, um autor pode não ter tido a mínima intenção de transmitir o significado que uma palavra possuía dois séculos antes de seu tempo; com efeito, é provável que ele nem soubesse dessas antigas conotações. De onde se vê que uma exegese que dependa grandemente de derivações etimológicas possui validade questionável; como resultado, as derivações etimológicas são menos usadas hoje do que em séculos anteriores.

Um método expositivo relacionado que é até menos válido hermeneuticamente do que as exposições baseadas em derivações etimológicas de palavras hebraicas ou gregas são as exposições baseadas nas discussões etimológicas das palavras para as quais foram traduzidas essas palavras hebraicas ou gregas. Por exemplo, de quando em quando se ouve sermão sobre um texto que inclui a palavra *santo*, no qual o pregador faz uma exposição das *raízes hebraico-latinas* da palavra. Exposições semelhantes se fazem às vezes com a palavra *dunamis* e suas conexões históricas com a palavra *dinamite*. Obviamente, tais exposições têm validade muito dúbia, porque, por interessantes que sejam, muitas vezes elas introduzem no texto significado que o autor não tinha em mente. O mais válido método para a determinação dos significados de uma palavra é descobrir as várias denotações que ela possuía no tempo em que o autor a empregou.

Há disponíveis vários tipos de instrumentos léxicos que capacitam o atual estudioso das Escrituras a averiguar os diversos possíveis significados de palavras antigas. Embora um conhecimento do hebraico e do grego certamente aumente a capacidade do estudante para efetuar estudos de vocábulos, um número cada vez maior desses instrumentos léxicos estão sendo numericamente relacionados por meio de chaves, como a *Strong's Exhaustive Concordance*, possibilitando à pessoa que não tem conhecimento do hebraico ou do grego (ou cujo conhecimento está "enferrujado") a fazer estudos de vocábulos nessas línguas. Os mais importantes tipos de instrumentos léxicos estão descritos a seguir.

Concordâncias. Uma concordância, ou chave bíblica, contém uma lista de todas as vezes que determinada palavra é usada na Escritura. Para examinar os vários modos em que determinada palavra hebraica ou grega foi empregada, consulte-se uma concordância hebraica ou grega, que arrola todas as passagens em que aparece a palavra.

Uma concordância arrola todas as ocorrências da tradução das palavras hebraicas e gregas. Por exemplo, a *Strong's Exhaustive Concordance* mostra-nos que a palavra *peace (paz)* ocorre mais de quatrocentas vezes nas bíblias em inglês, e cita cada referência. Usando um sistema de numeração, ela também localiza as várias palavras hebraicas e gregas que são traduzidas por *peace* (há dez palavras hebraicas e seis gregas). Com o uso do sistema de numeração de Strong, é uma questão relativamente simples abrir a concordância na parte final e encontrar a palavra hebraica ou grega que serve de raiz empregada em qualquer passagem. A última parte da concordância também inclui definições breves do significado de cada palavra hebraica ou grega.

As concordâncias em português, hebraico ou grego podem ser usadas para efetuar estudos de vocábulos.

Léxicos. Léxico é um dicionário de vocábulos hebraicos ou gregos. Como um dicionário da língua portuguesa, ele registra as várias denotações de cada palavra nele encontrada. Muitos léxicos oferecem uma síntese do uso das palavras, tanto na literatura secular como na bíblica, citando exemplos específicos. Muitas vezes as palavras hebraicas e gregas estão registradas em ordem alfabética, de modo que é útil conhecer os alfabetos hebraico e grego a fim de usar esses instrumentos.

Métodos para Descobrir-se a Denotação Intencional num Contexto Específico

Descoberta a veriedade de significados que uma palavra possuiu na cultura de sua época, a próxima e importante tarefa é averiguar qual dessas denotações o autor tinha em mente quando empregou a palavra na passagem que estamos estudando.

Uma objeção que se ouve de quando em quando é que o autor podia ter tido em mente mais de uma denotação, e que, portanto, ele estava comunicando simultaneamente, uma variedade de significados. Contudo, a introspecção pessoal revela que o emprego simultâneo de mais de uma denotação de uma palavra contraria toda a comunicação normal (com exceção dos trocadilhos, que são chistosos precisamente porque usam palavras em dois sentidos ao mesmo tempo). Também, se forçarmos as palavras em todas as suas denotações, cedo estaremos produzindo exegese herética. Por exemplo, a palavra grega *sarx* pode significar:

- a parte sólida do corpo excetuando-se os ossos (1 Coríntios 15:39)
- a substância global do corpo (Atos 2:26)
- a natureza sensual do homem (Colossenses 2:18)
- a natureza humana dominada por desejos pecaminosos (Romanos 7:19)

Embora esta seja apenas uma lista parcial de suas denotações, podemos ver que se todos esses significados fossem aplicados à palavra conforme se encontra em João 6:53, onde Cristo fala sobre sua própria carne, o intérprete estaria atribuindo pecado a Cristo.

PC Opcional:

Se você ainda não estiver convencido de que não devemos entender as palavras em todas as suas denotações em cada contexto, experimente o seguinte exercício:

Escreva uma declaração de três sentenças, semelhante às que você normalmente faz. Depois, usando um bom dicionário, escreva cada uma das denotações para os substantivos, verbos, adjetivos e advérbios que você empregou nas três frases. Associe as várias denotações em todos os seus possíveis arranjos e escreva as sentenças resultantes. É o significado expresso em suas três primeiras sentenças o mesmo que o expresso por todas as associações?

Há diversos métodos para se discernir as denotações específicas tencionadas por um autor em determinado contexto.

Primeiro veja as definições ou frases explicativas que os próprios autores dão. Por exemplo, 2 Timóteo 3:16-17 declara que a Palavra de Deus foi dada de sorte que "o homem de Deus seja *perfeito*". Que é que o autor quer aqui dizer por "perfeito"? Quer ele dizer sem pecado? Incapaz de cometer erro? Incapaz de erro ou pecado em alguma área específica? A melhor resposta é dada por suas próprias frases explicativas que se seguem de imediato — "que o homem de Deus seja perfeito e perfeitamente habilitado para toda boa obra". Neste contexto, o significado que Paulo deu a esta palavra, traduzida como *perfeito*, comunica a idéia de ser perfeitamente habilitado para um viver piedoso.

Segundo, o sujeito e o predicado de uma sentença podem explicar-se mutuamente. Por exemplo, a palavra grega *moranthei*, registrada em Mateus 5:13, pode significar "tornar-se tolo" ou "tornar-se insípido". Como determinamos a denotação tencionada? Neste caso o sujeito da sentença é *sal*, e assim, a segunda denotação ("se o sal vier a ser insípido") é escolhida como a correta.

Terceiro, observe se ocorre paralelismo dentro da passagem. Segundo já mencionamos, um terço do Antigo Testamento (e alguns trechos do Novo) é poesia. A poesia hebraica caracteriza-se por paralelismo, um aspecto que pode lançar luz sobre o significado de palavras em debate.

O paralelismo hebraico pode classificar-se em três tipos básicos: sinonímico, antitético, e sintético. No *paralelismo sinonímico* a segunda linha de uma estrofe repete o conteúdo da primeira, mas com palavras diferentes: Temos um exemplo disto no Salmo 103:10:

> Não nos trata segundo os nossos pecados,
> nem nos retribui consoante as nossas iniqüidades.

No *paralelismo antitético* a idéia da segunda linha contrasta agudamente com a da primeira. O Salmo 37:21 proporciona-nos um exemplo:

> O ímpio pede emprestado e não paga;
> o justo, porém, se compadece e dá.

No *paralelismo sintético* a segunda linha vai mais longe ou completa a idéia da primeira. O Salmo 14:2 é um exemplo:

> Do céu olha o Senhor para os filhos dos homens,
> para ver se há quem entenda, se há quem busque a Deus.

Portanto, se uma passagem é poesia, o reconhecimento do tipo de paralelismo empregado pode dar pistas para o significado da palavra em questão.

Quarto, determinar se a palavra está sendo usada como parte de uma figura de linguagem. Às vezes as palavras ou frases são usadas de formas tais que se desviam da linguagem simples, normal, a fim de causar impressão fantasiosa ou vívida. Tais frases são, com freqüência, chamadas de figuras de linguagem, e pretendem ter significado diferente do literal. Se uma figura persiste e se torna amplamente aceita dentro de uma cultura, é chamada de expressão idiomática. Eis alguns exemplos de figuras de linguagem ou expressões idiomáticas:

> Ele tem os olhos maiores do que a barriga.
> A chegada de Antônio pôs água na fervura.
> Estou quebrado.
> O Palácio do Planalto disse. . .
> Atingiremos Atenas por volta das 14 horas.
> O termômetro está subindo.
> O motor do carro morreu.
> Tomar um ônibus.
> De grão em grão a galinha enche o papo.

As figuras de linguagem, como vemos pela lista acima, são ubíquas — usamo-las com freqüência no linguajar cotidiano, como o fizeram os autores bíblicos. Além disso, as figuras de linguagem comunicam um significado definido com tanta certeza como a linguagem literal. Dizer que algo é uma figura de linguagem não quer dizer que o significado da frase seja ambíguo. As figuras de linguagem comunicam um significado intencional único exatamente como qualquer outro linguajar.

Interpretar uma figura de linguagem usando as denotações normais de uma palavra, geralmente resultará num radical equívoco do sentido que o autor tinha em mente. Por exemplo, se eu tivesse de interpretar literalmente as frases "ele tem os olhos maiores do que a barriga", ou "ele disse cobras e lagartos", eu as interpretaria de maneira totalmente errônea. Por este motivo, os que, com orgulho, se vangloriam de crer literalmente em tudo o que a Bíblia diz (se por isto querem dizer que deixam de reconhecer as figuras de linguagem e os aspectos especiais de poesia e profecia), podem estar prestando um desserviço à própria Bíblia, se é que têm por ela tão elevado respeito.

As figuras de linguagem são comuns no texto bíblico. Um bom procedimento a adotar, sempre que se estuda em profundidade uma passagem, é consultar, se for acessível ao leitor, um bom manual bíblico de figuras de linguagem.

Quinto, estudar passagens paralelas. A fim de entender o significado de uma palavra ou frase, procure dados complementares em passagens paralelas de sentido mais claro. É importante, porém, distinguir entre paralelos verbais e paralelos reais. Os paralelos verbais são os que usam palavras semelhantes mas se referem a conceitos diferentes. O conceito da Palavra de Deus como espada, que encontramos no capítulo 4 de Hebreus e 6 de Efésios, é um exemplo de um paralelo verbal, mas não real. O capítulo 4 de Hebreus fala da função da Bíblia como um divisor que diferencia entre os que são verdadeiramente obedientes à sua mensagem e os que professam obediência mas no íntimo permanecem desobedientes. No capítulo 6 de Efésios, Paulo também fala da Bíblia como espada, mas neste caso refere-se a ela como arma defensiva a ser usada contra as ciladas de Satanás (v. 11). (Cristo usou deste modo a Palavra quando Satanás o tentou no deserto.)

Paralelos reais, pelo contrário, são os que falam do mesmo conceito ou do mesmo evento. Podem empregar palavras diferentes, e com freqüência acrescentam dados complementares que não se encontram na passagem sob estudo. As referências marginais que encontramos na maioria das bíblias destinam-se a apresentar paralelos reais, embora às vezes tais paralelos pareçam mais verbais do que reais. Um exame cuidadoso do contexto é o melhor indicador para sabermos se as passagens são paralelos verbais ou reais.

Em resumo, os cinco modos de averiguar a denotação específica intencionada de uma palavra numa passagem são: (1) Examinar as definições ou frases explicativas dadas pelo autor; (2) usar o sujeito e o predicado para explicar-se mutuamente; (3) examinar o paralelismo caso ele ocorra na passagem; (4) determinar se a palavra ou frase tinha a intenção de ser uma figura de linguagem; e (5) estudar passagens paralelas.

Sintaxe

A sintaxe trata do modo como os pensamentos são expressos por meio de formas gramaticais. Cada língua tem sua própria estrutura, e um dos problemas que tanto dificultam a aprendizagem de outra língua é que o estudante deve dominar não só as definições e pronúncias das palavras da nova língua, mas também novos modos de dispor e demonstrar a relação de uma palavra com outra.

A língua portuguesa é analítica: a ordem das palavras é um guia para o significado. Por exemplo, os substantivos normalmente precedem os verbos, os quais normalmente precedem os complementos. Dizemos "a árvore é verde" de preferência a alguma outra combinação dessas palavras. O hebraico é, também, uma língua analítica, porém menos do que o português. O grego, pelo contrário, é uma língua sintética: o significado é entendido apenas parcialmente pela ordem das palavras e muito mais pelas terminações da palavra ou pelas terminações de casos.

Há diversos instrumentos úteis para se descobrir que informação a sintaxe pode trazer para nossa compreensão do significado de uma passagem.

Bíblias Interlineares. Estas bíblias contêm o texto hebraico ou grego com a tradução impressa entre as linhas (daí o nome *interlinear*). Justapondo-se os dois conjuntos de palavras, elas capacitam o estudante a indicar facilmente a palavra (ou palavras) hebraica ou grega que ele deseja estudar. (Os mais competentes em hebraico e grego podem, é claro, ir diretamente aos textos originais em vez de recorrer aos interlineares.)

Léxicos Analíticos. Muitas vezes a palavra que encontramos no texto é uma variação da forma radical da palavra. Por exemplo, em português poderíamos encontrar várias formas do verbo *entregar*:

> *entregou*
> *entregado*
> *entregue*
> *entregaremos*

Os substantivos, de igual modo, podem assumir formas diferentes e desempenhar papéis diferentes nas sentenças.

Um léxico analítico faz duas coisas fundamentais: (1) aponta a palavra primitiva ou o radical da qual a palavra no texto é uma variante, e (2) indica qual a parte do discurso é a variação. Por exemplo, se a palavra que queremos estudar é o vocábulo grego *thumon*, consultando um léxico grego analítico verificaremos que este é o acusativo singular da palavra *thumos*, que significa "raiva" ou "ira".

Gramáticas hebraicas ou gregas. Se desconhecemos o significado da expressão "acusativo singular" que descreve a forma de uma palavra, será valioso ter um terceiro conjunto de auxílios gramaticais. As gramáticas hebraicas e gregas explicam as várias formas que as palavras podem tomar em suas respectivas línguas, e o significado das palavras quando aparecem numa dessas formas. Quase todos os cursos de seminário sobre exegese descrevem os processos acima com maiores detalhes.

É importante saber como obter êxito nos processos acima quando há necessidade de fazê-lo. Contudo, grande parte deste trabalho já foi feito e compilado.

Confirmando o Que Foi Dito

Ponha os resultados de sua análise léxico-sintática em palavra não-técnicas, de fácil compreensão, que comuniquem com clareza o significado que o autor tinha em mente. Sempre existe o perigo de a análise léxico-sintática envolver-se de tal maneira com os detalhes técnicos (e.g., os nomes técnicos ou nomes de casos gramaticais, de Bullinger), que perdemos de vista a *finalidade da análise*, a saber, comunicar o significado do autor com a maior clareza possível. Há, também, a tentação de impressionar os ouvintes com nossa erudição e profundas capacidades exegéticas. As pessoas precisam ser alimentadas, não impressionadas. O estudo técnico deve ser feito como parte de qualquer exegese, mas é preciso que seja parte da *preparação* para a exposição. A maioria dele não precisa aparecer no produto (exceto no caso de documentos teológicos acadêmicos ou técnicos).[2]

Os laboriosos debates técnicos muitas vezes têm êxito apenas em fazer o auditório dormir. Reconhece-se com facilidade uma boa exposição, não por suas discussões técnicas maciças, mas por "soar verdadeira" — o auditório percebe que ela se encaixa naturalmente em seu contexto — e representa uma exposição das idéias do próprio autor e não as do intérprete.

Resumo do Capítulo

Os sete passos seguintes foram recomendados para a elaboração de uma análise léxico-sintática:

1. Apontar a forma literária geral.
2. Investigar o desenvolvimento do tema e mostrar como a passagem sob consideração se enquadra no contexto.
3. Apontar as divisões naturais (parágrafos e sentenças) do texto.
4. Indicar os conectivos dos parágrafos e sentenças e mostrar como auxiliam na compreensão da progressão do pensamento.
5. Determinar o que significam as palavras tomadas individualmente.
a. Apontar os múltiplos significados que uma palavra possuía no seu tempo e cultura.
b. Determinar o significado único que o autor tinha em mente em dado contexto.
6. Analisar a sintaxe para mostrar de que modo ela contribui para a compreensão de uma passagem.
7. Colocar os resultados de sua análise em palavras não-técnicas, de fácil compreensão, que comuniquem com clareza o significado que o autor tinha em mente.

Exercícios

(Nota: Estes exercícios e os dos capítulos seguintes incorporam técnicas hermenêuticas aprendidas nos capítulos anteriores.)

Análise Léxico-Sintática 85

PC15: Um pastor pregou um sermão usando 1 Coríntios 11:29 como texto preparatório para a Ceia do Senhor. Ele interpretou a frase "não discernindo o corpo do Senhor" como referência ao corpo de Cristo, a igreja. Sua mensagem extraída do texto era que não devemos participar da Ceia quando temos sentimentos negativos não resolvidos para com um irmão ou irmã, porque a participação seria comer e beber sem "discernir o corpo do Senhor". É válido este uso do texto?

PC16: Um devotado jovem cristão envolveu-se ativamente no movimento carismático. Dentro desse movimento ele ouviu diversos oradores convincentes que ensinavam que todo cristão cheio do Espírito deve possuir todos os dons espirituais (glossolalia, interpretação de línguas, profecia, curas etc.) Ele orou sinceramente pedindo que Deus lhe desse esses dons de sorte que pudesse ser um cristão mais eficiente. Passados alguns meses, porém, ele ainda não havia recebido alguns deles, e revoltou-se contra Deus. Use suas técnicas hermenêuticas para analisar o capítulo 12 de 1 Coríntios, e depois faça um esboço dos ensinos bíblicos desta passagem que você usaria no aconselhamento a essa pessoa.

PC17: A maioria das pessoas supõe que a menina citada em Mateus 9:18-26 estava morta, mas há um motivo para se crer que estava em estado de coma e não e morta.
  a. Que fatores léxico-sintáticos você consideraria ao tentar responder a esta questão?
  b. Que fatores sugerem que ela estava morta? Avalie a força desses fatores.
  c. Que fatores sugerem que ela se achava em estado de coma e não morta? Avalie a força desses fatores.
  d. Acha você que ela estava em estado de coma ou morta?

PC18: Os cristãos têm discutido muito sobre o tópico da ira, baseados em Efésios 4:26: ("Irai-vos. . ."). Analise o significado deste versículo e discuta se ele apóia ou não a opinião positiva da ira normalmente derivada dele.

PC19: Em Mateus 5:22, Jesus diz que se alguém chamar um irmão de tolo estará sujeito ao fogo do inferno, mas em Mateus 23:17-19 ele chama os fariseus de insensatos, que é o mesmo que tolos ou loucos. Como você explica esta aparente contradição?

PC20: Tem havido, entre os psicólogos cristãos, muito debate concernente à natureza da culpa "mundana" (neurótica?) versus culpa "piedosa" (2 Coríntios 7:10). Empregando seus conhecimentos de hermenêutica neste texto particular, diferencie entre as duas da melhor maneira que lhe for possível.

PC21: Alguns grupos cristãos sustentam uma posição muito forte sobre o problema de que a Criação levou seis períodos literais de 24 horas, crendo que proceder de outra maneira significa adesão menos do que fiel ao registro bíblico. Faça um estudo vocabular da palavra hebraica *dia (yom)* empregada nos primeiros capítulos do Gênesis, e demonstre suas conclusões. Que é que seu estudo vocabular indica com referência a saber se a Criação ocorreu em seis dias ou seis períodos de duração não especificada?

PC22: Um psicólogo cristão de nomeada publicou num periódico cristão de psicologia um artigo baseado na tese de que uma vez que o homem é criado à imagem de Deus, podemos aprender a respeito de Deus estudando o homem. Dois anos mais tarde ele publicou outro artigo usando a tese de que uma vez que o homem é criado à imagem de Deus, podemos aprender acerca do homem estudando Deus. Concorda você com suas teses? Por que sim, ou por que não?

PC23: Usando Romanos 9:13 como texto ("Amei a Jacó, porém me aborreci de Esaú"), um notável professor da Bíblia passou a fazer uma análise desses dois irmãos para mostrar por que Deus se aborreceu de um e amou ao outro. É válido tal uso deste texto? Por que é, ou por que não é?

PC24: Um estudioso cristão estava estudando os efeitos psicológicos da conversão. Em seu estudo de 2 Coríntios 5:17 ("Se alguém está em Cristo, é nova criatura", ou criação), ele examinou outros empregos bíblicos da palavra *criação (ktisis)* e verificou que esta palavra é quase sempre usada para falar da criação do mundo, implicando a criação de alguma coisa do nada *(ex nihilo)*. Se assim for, raciocinava ele, as características psicológicas do novo cristão são algo novo que não existia antes. Contudo, estudando a literatura psicológica, ele não encontrou nenhuma evidência de uma nova dimensão de personalidade nos cristãos que não esteja presente nos não-cristãos. (De fato, parece haver em alguns casos uma reorganização dos padrões da preexistente personalidade, mas não se detectou nenhuma dimensão de personalidade novamente criada.) De que modo você o ajudaria a harmonizar os dados psicológicos com o entendimento que ele tinha de 2 Coríntios 5:17?

PC25: Há, hoje, muito debate entre os cristãos sobre se a Escritura fala do homem como tricótomo (três partes: corpo, alma, e espírito), dicótomo (duas partes: corpo e alma-espírito), ou holístico (uma unidade: corpo, alma, e espírito como aspectos diferentes

diferentes modos de ver essa unidade total). Quais os princípios hermenêuticos que seriam empregados na tentativa de solucionar este problema?

---

1. John A. Broadus, *A Treatise on the Preparation and Delivery of Sermons* (30ª edição).

2. Quando a documentação técnica se faz necessária em material escrito, ela pode ser inserida como nota ao pé da página para evitar que o leitor seja distraído da exposição. Contudo, as palavras hebraicas ou gregas podem ser introduzidas num texto escrito por transliteração. A transliteração envolve transformar uma palavra hebraica ou grega em caracteres do alfabeto português que tenham o mesmo som da palavra original. Qualquer pessoa que conheça os sons das letras hebraicas e gregas pode com facilidade fazer a transliteração. Quando se inclui num texto escrito uma palavra transliterada, geralmente ela é sublinhada ou escrita em tipo itálico.

5 Análise Teológica

Depois de completar este capítulo, você deverá poder:
1. Apontar cinco passos no processo chamado análise teológica.
2. Definir os seguintes termos:
   a. Análise teológica
   b. Analogia da Escritura
   c. Analogia da fé
3. Apontar cinco principais posições sobre a natureza do relacionamento de Deus com o homem, e resumir cada uma em poucas sentenças.
4. Formular uma posição pessoal sobre a natureza da relação divino-humana, resumindo em uma ou duas páginas os motivos de sua decisão.

Duas Perguntas Básicas

A pergunta fundamental feita na análise teológica é: "Como esta passagem se enquadra no padrão total da revelação de Deus?" De imediato se evidencia que primeiro devemos responder a outra pergunta, a saber: "O que *é* o padrão da revelação de Deus?" Esta pergunta prévia é tão importante (e feita com tão pouca freqüência) que a maior parte deste capítulo se ocupará com o seu estudo. Uma vez tratado o padrão da revelação divina, torna-se muito mais fácil tratar da questão de determinar como certa passagem se encaixa no padrão total.

São diversas as teorias concernentes ao melhor modo de conceitualizar a natureza do relacionamento de Deus com o homem. Na história da salvação (definida neste livro como a história da obra salvadora de Deus para a humanidade), algumas teorias vêem significativa descontinuidade; outras acentuam a continuidade dentro da história da salvação. É provável que a maioria dos dispensacionais leigos (mas não necessariamente os teólogos dispensacionais) veja a natureza da relação de Deus com o homem como

90 Hermenêutica

basicamente descontínua, com ênfase secundária na continuidade; a maioria dos teólogos partidários da aliança vê o relacionamento divino-humano como antes de tudo contínuo, com ênfase mínima sobre a descontinuidade.

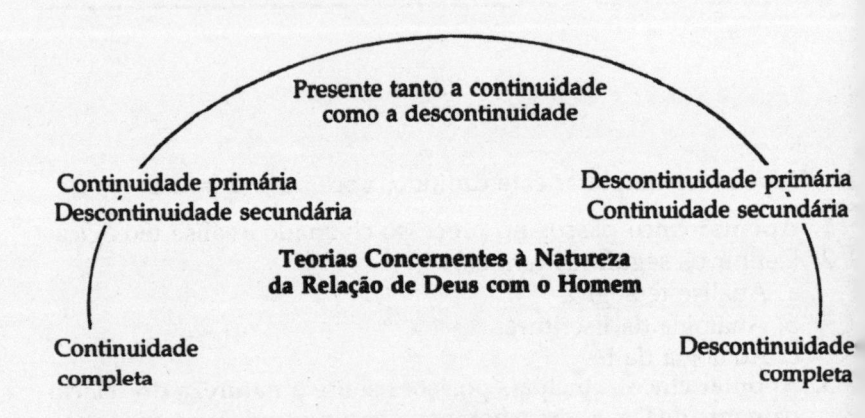

```
                 Presente tanto a continuidade
                    como a descontinuidade

Continuidade primária                    Descontinuidade primária
Descontinuidade secundária               Continuidade secundária

               Teorias Concernentes à Natureza
                da Relação de Deus com o Homem

Continuidade                                      Descontinuidade
completa                                          completa
```

As hipóteses acerca do padrão do relacionamento de Deus com o homem são necessárias, porque proporcionam uma estrutura organizacional em torno da qual podemos entender os dados bíblicos. Sem algum tipo de princípio organizador, o volume de dados seria grande demais para a compreensão. Contudo, há pelo menos dois grandes perigos em aceitar certo sistema ou hipótese acerca da natureza da revelação divina. Primeiro, o perigo de alguém impor seu próprio sistema *sobre* os dados bíblicos, em vez de derivar o sistema *por via dos* dados. F. F. Bruce preveniu:

> Há um grande perigo, uma vez que tenhamos aderido a determinada escola de pensamento, ou adotado certo sistema de teologia, de ler a Bíblia à luz dessa escola ou sistema e encontrar seus característicos distintivos naquilo que lemos.[1]

O segundo e, talvez, até maior perigo é o de aceitar uma teoria acerca do padrão da revelação divina sem mesmo reconhecer que se trata de uma teoria, ou sem examinar outras teorias para ver qual delas se ajusta melhor aos dados. Com muita freqüência, por exemplo, os que foram doutrinados numa igreja que adota uma dessas posições não percebem que a posição é uma teoria, ou que há outros modos de organizar os dados bíblicos.

Análise Teológica 91

A primeira parte deste capítulo apresenta cinco dos sistemas conceituais mais comuns que explicam a natureza da relação de Deus com o homem. Em seguida vem uma recomendação; uma metodologia que determine se os métodos que Deus adota para tratar com o homem têm sido antes de tudo contínuos ou descontínuos. A parte final do capítulo aponta os passos e princípios com os quais fazer a análise teológica.

A Pertinência da Questão Continuidade-Descontinuidade

O capítulo 3 acentuou a importância de se averiguar o destinatário de determinada passagem ou ordem. Os que entendem a história da salvação como antes de tudo contínua, geralmente consideram a Escritura como aplicável ao crente hodierno, uma vez que vêem a unidade básica entre si próprios e os crentes através da história do Antigo e do Novo Testamentos. Os que vêem a história da salvação antes de tudo como descontínua, tendem a considerar que somente o livro de Atos e as Epístolas possuem aplicabilidade fundamental para a igreja atual, visto que o restante da Escritura foi dirigido a pessoas que viviam sob uma economia bíblica diferente. Uma vez que as Epístolas compreendem apenas 10% da Bíblia, é de suma importância o problema de determinar se os restantes 90% possuem aplicabilidade fundamental aos crentes de nossos dias.

Muitos problemas teológicos significativos, bem como muitos problemas significativos de aconselhamento cristão também são influenciados pelo modo como o indivíduo soluciona esta questão. Encontramos exemplos específicos do efeito deste problema sobre a teoria do aconselhamento cristão em alguns autores contemporâneos. Bruce Narramore e William Count supõem que a lei e a graça representam dois sistemas antitéticos de salvação. Eles desenvolvem duas psicologias contrastantes concernentes à relação do homem com Deus baseadas nessas suposições. Os que consideram a lei e a graça de maneira diferente, teriam um ponto de vista correspondentemente diferente das implicações psicológicas desses conceitos bíblicos. Dwight Small, por outro lado, postula uma descontinuidade entre o contexto em que foram dadas as ordens de Cristo sobre o divórcio, e a situação de nossos dias para os crentes. Suas conclusões sobre o divórcio, baseadas neste postulado, são, portanto, significativamente diferentes das conclusões dos que vêem uma continuidade básica entre os contextos.

Em nível mais geral, a atitude que alguém toma para com o problema da continuidade-descontinuidade influencia tanto o ensino da escola dominical como a pregação. Em contraste com os teoristas da descontinuidade, os que crêem haver uma continuidade básica entre o Antigo e o Novo Testamentos tendem (1) a usar o Antigo Testamento com maior freqüência no ensino e na pregação, e (2) a encontrar exemplos de princípios no Antigo Testamento que possuem aplicação contínua para os cristãos de hoje.

Poderíamos dar outros exemplos, tanto em questões teológicas gerais, assim como em problemas específicos de aconselhamento, e a conclusão é inescapável: o modo como resolvemos esta questão terá importantes implicações para nossas vidas bem como para as vidas que influenciamos.

Sistemas Teoréticos Representativos

O Modelo "Teologias, mas Nenhuma Teologia"

Os teólogos liberais, mencionados em capítulos anteriores, tipicamente vêem a Bíblia como um produto do desenvolvimento evolutivo da religião de Israel. Quando a consciência religiosa de Israel se tornou mais sofisticada, aconteceu o mesmo com a sua teologia. Como conseqüência, os teólogos liberais vêem na Bíblia uma variedade de teologias — escritos que refletem diferentes níveis de sofisticação teológica, às vezes conflitantes entre si. Em vez de verem a Bíblia como a verdade divina que Deus revelou ao homem, crêem que as Escrituras são pensamentos do homem acerca de Deus. Visto que os pensamentos dos homens mudaram com o correr do tempo, crêem eles que a Bíblia revela diversas idéias e movimentos de desenvolvimento teológico em vez de uma teologia única, unificada. Nesse caso, tendem a ver a história bíblica como descontínua, com ênfase menor sobre a continuidade (embora nenhuma generalização seja válida para cada membro desse grupo). O livro de E. W. Parson, *The Religion of the New Testament*, é um exemplo da aplicação deste tipo de teoria ao Novo Testamento.

Teoria Dispensacional

Outra teoria que acentua sobremaneira a descontinuidade e dá menor importância à continuidade, embora por motivos muito diferentes do que o movimento "teologias, mas nenhuma teologia", é a dispensacional. Ao passo que os teólogos liberais vêem a descontinuidade no registro bíblico como um reflexo das lutas do homem para entender a Deus, os dispensacionais são quase sempre ortodoxos em seu ponto de vista da inspiração, crendo que qualquer descontinuidade no padrão da história da salvação

Análise Teológica 93

aí está porque Deus tencionava que aí estivesse.

O dispensacionismo é uma dessas teorias que as pessoas parecem "aceitar com plena confiança" ou "amaldiçoar"; poucas assumem uma posição neutra. Ele tem sido chamado de "a chave para dividir corretamente as Escrituras"[2] e alternativamente "a mais perigosa heresia encontrada presentemente dentro dos círculos cristãos".[3]

Scofield definiu dispensação como "um período em que o homem é provado com respeito à obediência a alguma revelação *específica* da vontade de Deus".[4] O padrão da história da salvação é visto como três passos que se repetem com regularidade: (1) Deus dá ao homem um conjunto específico de responsabilidades ou padrão de obediência, (2) o homem não consegue viver à altura desse conjunto de responsabilidades, e (3) Deus reage com misericórdia concedendo um novo conjunto de responsabilidades, isto é, uma nova dispensação.

Os dispensacionalistas identificam entre quatro e nove dispensações: o número costumeiro é sete (ou oito, se o período da tribulação for considerado como uma dispensação à parte). A seguinte descrição das sete dispensações, resumidas de um livro de Charles C. Ryrie[5], é típica, mas há muitas variações dentro desta escola.

Dispensação da Inocência ou Liberdade. Esta dispensação incluiu o tempo em que Adão e Eva viveram em estado de inocência, antes da queda, e terminou no tempo em que pecaram pela desobediência. Acha-se descrita em Gênesis 1:28—3:6.

Dispensação da Consciência. Durante este período a "obediência aos ditames da consciência era a principal responsabilidade de mordomia do homem". Terminou quando o homem se perverteu cada vez mais e Deus trouxe o juízo por meio do dilúvio. Esta dispensação está descrita em Gênesis 4:1—8:14.

Dispensação do Governo Civil. No decurso desta dispensação Deus concedeu ao homem o direito ao castigo capital, dando a entender com ele o direito de criar o governo humano. Em vez de espalhar-se e encher a terra, o homem expressou sua rebelião construindo a torre de Babel. O juízo de Deus veio através da confusão de línguas. Este período está descrito em Gênesis 8:15—11:9.

Dispensação da Promessa. Este intervalo abrangeu o tempo dos patriarcas e recebeu este nome porque Deus prometeu a Abraão uma terra e bênçãos subseqüentes. A desobediência de Jacó em deixar a terra da promessa e ir para o Egito resultou em escravidão. A descrição deste período vai de Gênesis 11:10 a Êxodo 18:27.

Dispensação da Lei Mosaica. Durou este período desde Moisés até à morte de Cristo. No decorrer desse tempo Deus deu mandamentos que cobrem todas as fases da vida e atividade. O fracasso de Israel em manter-se fiel a esses mandamentos levou à divisão do reino e à escravidão. A dispensação da lei vai de Êxodo 18:2 a Atos 1:26.

Dispensação da Graça. No decurso deste período (que inclui o presente), a responsabilidade do homem é aceitar o dom da justiça de Deus. Esta era terminará com o homem rejeitando o dom gracioso de Deus, rejeição essa que leva à tribulação. A dispensação da graça está descrita em Atos 2:1—Apocalipse 19:21.

Dispensação do Milênio. Durante o reino milenial, a responsabilidade do homem será obediência ao governo pessoal de Cristo. Ao término deste período irromperá uma rebelião final e terminará no juízo final. A mais conhecida passagem bíblica que descreve este período é o capítulo 20 do Apocalipse.

Uma exposição das dispensações apresentada por Edwin Harti varia de certo modo da descrição das dispensações de Ryrie, que não considera a tribulação como uma dispensação à parte. As duas descrições mostram as similaridades bem como as diferenças entre os diversos escritores dispensacionais.

Um dos pontos de diferença é se os regulamentos dispensacionais representam vários meios de salvação ou várias diretrizes para um viver obediente *depois* da salvação. Uma crença comum entre os leigos dispensacionais é que as dispensações da lei e da graça representam meios alternativos de salvação. Esta crença baseia-se, em parte, nalgumas das notas da Bíblia de Referência de Scofield. Por exemplo, a nota que acompanha João 1:17 declara:

> Como dispensação, a graça começa com a morte e ressurreição de Cristo (Romanos 3:24-26; 4:24, 25). O ponto de prova já não é obediência legal como a *condição* de salvação, mas aceitar ou rejeitar a Cristo, tendo as boas obras como fruto da salvação.

Contudo, a maioria dos teólogos dispensacionais provavelmente concordaria com a declaração de Ryrie de que:

> A *base* da salvação em cada era é a morte de Cristo, a *exigência* para a salvação em cada era é a fé; o objeto da fé em cada era é Deus; o *conteúdo* da fé muda nas várias dispensações.

Para a maioria dos teólogos dispensacionais a mudança primordial entre as dispensações não está nos meios de salvação, mas nas especificações para o viver obediente que acompanham o compromisso de uma pessoa de aceitar a salvação de Deus.

Outro ponto de desacordo, e muitas vezes uma razoável soma de ambigüidade, é o grau de aplicabilidade das ordens dadas numa dispensação para os crentes de outra. Num extremo estaria o ponto de vista de Charles C. Cook:

> Não há, no Antigo Testamento, uma sentença sequer que se aplique ao cristão como Regra de Fé e Prática — não há uma única ordem que o restrinja, como não há nele uma única promessa que lhe seja feita de primeira mão, exceto o que está incluído no amplo fluxo do Plano de Redenção conforme aí ensinado em símbolo e profecia.[6]

Embora alguns outros escritores dispensacionais tenham feito declarações semelhantes, é provável que a maioria dos teólogos dispensacionais de nossos tempos veja muito mais continuidade entre as dispensações do que Cook. H. P. Hook declara: "A maioria dos teólogos que sustentam esta posição [dispensacional] afirma que no progresso da revelação há manifesta a vontade de Deus em várias economias. Em vez de estarem terminadas como um princípio, elas crescem ou evolvem para a próxima economia."[7] Na minha opinião, um dos principais desafios que o dispensacionismo enfrenta hoje é o desenvolvimento de uma posição que especifique com clareza como as ordens de uma dispensação anterior se aplicam aos crentes de uma dispensação sucessiva. Evidentemente, se a teoria dispensacional é correta, então ela representa um poderoso instrumento hermenêutico, e instrumento decisivo se devemos interpretar as promessas e ordens bíblicas corretamente. Por outro lado, se a teoria dispensacional é incorreta, então aquele que ensina tais distinções poderia correr sério risco de trazer sobre si próprio os juízos de Mateus 5:19. A segunda seção deste capítulo apresenta evidência bíblica que se relaciona com esta questão.

Teoria Luterana

Lutero acreditava que para uma adequada compreensão da Bíblia devemos distinguir com cuidado entre duas verdades bíblicas paralelas e sempre presentes: a Lei e o Evangelho. Conforme foi

Mapa das Oito Dispensações

	INOCÊNCIA	CONSCIÊNCIA	GOVERNO HUMANO	PROMESSA	LEI	GRAÇA	TRIBULAÇÃO	REINO
DESIGNAÇÃO								
CITAÇÃO	Gén. 1:26-28; 2:23	Gén. 3:8 & 23	Gén. 8:1	Gén. 12:1; Éx.19:8	Éx. 19:8	João 1:17	Dan. 12:1 Jer. 30:7	Ef. 1:1
LIMITAÇÃO	Criação até à queda	Queda do homem até ao dilúvio	Dilúvio até à Torre de Babel	Chamada de Abraão até ao Êxodo	Êxodo até à Cruz. Sinai até ao Calvário	Descida do E. S. até à descida de Cristo	Ascensão da Igreja até à descida de Cristo	Descida de Cristo até ao Grande Trono Branco
DURAÇÃO	Desconhecida	1656 anos	427 anos	430 anos	1491 anos	1900 anos	7 anos	1000 anos
CONDIÇÃO	Homem em inocência. Não ignorante	Em pecado—Gén. 6:5, 6	Noé agora líder do justo. Homem governando	Idolatria e nação dispersa	Servidão à obediência e desobediência	Todo o mundo culpado perante Deus	Sofrimento intenso	Vivendo no Reino de Glória
OBRIGAÇÃO	Não comer da árvore do conhecimento do bem e do mal	Fazer o bem e escolher o que é reto— Gén 4:6,7	Governo para Deus— Gén. 9:5, 6	Permanecer na terra da promessa— Gén. 12:5	Guardar a lei	Aceitar a Cristo, crendo	Adorar a Deus e recusar adorar a Besta	Submeter-se ao Filho
TRANSGRESSÃO	Desobedeceu e comeu. Concupiscência da carne, dos olhos e soberba da vida	Fez o mal— Mat. 24:37, 38, 39	Construindo a T. de Babel— Gén. 11:4	Ida para o Egito	Falhou em guardar a lei	Falhou em aceitar a Cristo	Não se arrependeu. Adorou a Besta	Obediência fingida

CONDENA-ÇÃO	Maldição sobre o homem— Gén. 3:14-19	Deus destruiu a carne— Gén. 6:13	Confusão de línguas— Gén. 11:7	Escravidão	Divisão de Reinos N. & Sul 1 Rs. 11:29-40	Juízo e condenação eterna	Batalha do Armagedom. Destruição	Fogo os devora Apo. 20:9
CULMINA-ÇÃO	Expulsão do Jardim— Gén. 3:24	Dilúvio— 8 salvos	Povo disperso— Gén 11:8	No Egito sob Faraó	Calvário. Cristo cumpriu a lei	Arrebatamento da igreja do mundo.	Armagedom	Lançado no Lago de Fogo
PREDIÇÃO	Promessa do Redentor— Gén. 3:15	Arca-salvação— Gén. 6:18. Novo Pacto com Noé	Confusão no governo	Promessa de semente através de Abraão. Mais definida agora— Gén. 22:18	Isa. 96, 7 "Um filho se se nos deu."	1 Tess. 4:16, 17	Mateus 24:29-31	Novos céus e nova terra
CORREÇÃO OU INSTRUÇÃO	Não seriam como Deus (conforme disse Satanás)	Consciência não é suficiente para levar o homem a Deus	Nenhuma esperança no governo humano	Deus Não abandonou o mundo quando ele escolheu a Abraão.	A lei não salvará.	Ef. 2:8-9		

Edwin Hartill, *Principles of Biblical Hermeneutics* (Grand Rapids:Zondervan, 1947), p.18

mencionado no capítulo 2, a *Lei* refere-se a Deus em seu ódio ao pecado, seu juízo, e sua ira. O *Evangelho* refere-se a Deus em sua graça, seu amor, e sua salvação.

Ambos os aspectos da natureza de Deus existem lado a lado na Bíblia, tanto no Antigo quanto no Novo Testamentos. A Lei reflete a santidade do caráter de Deus; fosse ele privar-se dela, tornar-se-ia um Deus amoral em vez de um Deus santo. A graça é a resposta divina ao fato de que o homem nunca pode satisfazer ao padrão de santidade exigido pelo Senhor.

Um modo de distinguir Lei e Evangelho é perguntar: "Isto fala de julgamento sobre mim?" Nesse caso, é a Lei. Em contraste, se a passagem traz consolo, ela é o Evangelho. Usando esses critérios, determine se as seguintes passagens seriam consideradas Lei ou Evangelho:

1. Gênesis 7:1: "Disse o Senhor a Noé: Entra na arca, tu e toda a tua casa, porque reconheço que tens sido justo diante de mim no meio desta geração."
2. Mateus 22:37: "Respondeu-lhe Jesus: Amarás o Senhor teu Deus de todo o teu coração, de toda a tua alma, e de todo o teu entendimento."
3. João 3:36: "Por isso quem crê no Filho tem a vida eterna; o que, todavia, se mantém rebelde contra o Filho não verá a vida, mas sobre ele permanece a ira de Deus."

(Respostas: (1) Evangelho, (2) Lei, e (3) Evangelho; Lei)

Para os teólogos luteranos, a Lei e o Evangelho revelam dois aspectos integrantes da personalidade de Deus: Sua santidade e sua graça. Assim, eles vêem a Lei e o Evangelho como partes inseparáveis da história da salvação, desde o relato do pecado de Adão e Eva até ao encerramento do milênio.

A Lei e o Evangelho têm propósitos contínuos, quer na vida dos incrédulos, quer na dos crentes. Para o incrédulo a Lei condena, acusa, e lhe mostra sua necessidade do Senhor. Para o crente, a Lei continua a demonstrar a necessidade da graça, e traça diretrizes para o viver diário. O Evangelho mostra ao incrédulo uma via de escape da condenação; para o crente, ele serve de motivação para guardar a lei moral de Deus.

A cuidadosa diferenciação entre a Lei e o Evangelho, mais a manutenção de ambos, tem sido um importante instrumento hermenêutico e garantia de pregação lutarana ortodoxa. A posição luterana acentua com vigor a continuidade. Deus continua a responder ao homem com a Lei e com a Graça como tem feito desde o começo da história humana. Lei e Graça não são duas épocas diferentes no trato de Deus com os homens, mas partes integrantes de todo o seu relacionamento.

Teoria das Alianças

Outra teoria que enfoca a continuidade antes que a descontinuidade na história da salvação é a das alianças do pacto. Os teólogos das alianças vêem toda a história bíblica coberta por duas alianças, uma de obras até à queda e uma de graça desde a queda até ao presente.[8] A aliança das obras é descrita como o acordo entre Deus e Adão, que prometia a este a vida mediante a obediência perfeita, e a morte como castigo pela desobediência. A aliança da graça é o acordo entre Deus e o pecador, na qual Deus promete salvação mediante a fé, e o pecador promete uma vida de fé e obediência. Todos os crentes do Antigo Testamento bem como os crentes nossos contemporâneos, são parte da aliança da graça.

Uma acusação que se faz à teologia das alianças é que ela é uma supersimplificação que classifica o Antigo e o Novo Testamentos sob uma categoria única, a aliança da graça. Diversos versículos bíblicos parecem indicar uma aliança mais antiga e uma mais nova, correspondendo mais ou menos aos nossos Antigo e Novo Testamentos. Por exemplo, Jeremias 31:31-32 diz:

> Eis aí vêm dias, diz o Senhor,
>   e firmarei nova aliança
> com a casa de Israel
>   e com a casa de Judá.
> Não conforme a aliança
>   que fiz com seus pais,
> no dia em que os tomei pela mão,
>   para os tirar da terra do Egito;
> porquanto eles anularam a minha aliança,
>   não obstante eu os haver desposado.

Diversos versículos na carta aos Hebreus parecem fazer semelhante distinção:

> Agora, com efeito, obteve Jesus ministério tanto mais excelente, quanto é ele também mediador de superior aliança instituída com base em superiores promessas. . . Quando ele diz Nova, torna antiquada a primeira. Ora,

aquilo que se torna antiquado e envelhecido, está prestes a desaparecer (Hebreus 8:6, 13).

Os teólogos das alianças reagem a este problema acentuando diversos pontos: Primeiro, os crentes do Antigo Testamento foram salvos pela graça do mesmo modo que os crentes do Novo; portanto, ambos podem ser precisamente considerados como parte da aliança da graça. Segundo, as muitas comparações entre o Antigo e o Novo Testamentos que encontramos na carta aos Hebreus nunca as descrevem como antitéticas. Vê-se a relação como aquela entre uma boa aliança e uma até superior. A boa aliança que Deus havia oferecido no Antigo Testamento (aliança da graça) fora rejeitada pelos israelitas idólatras. Deus a substituiu por nova aliança da graça até mais graciosa do que a primeira. Mais ainda: a relação é descrita como aquela entre um sistema que aguardava com ansiedade seu cumprimento, e o próprio cumprimento. O sangue de touros e de bodes nunca poderia remover os pecados de modo final e absoluto, mas simplesmente atuava como pagamento inicial até que Cristo viesse como expiação perfeita (Hebreus 10:1-10). Portanto, concluem os teólogos das alianças, as alianças do Antigo e do Novo Testamentos são sintéticas em vez de antitéticas. Ambas são alianças da graça, uma edificada sobre as graciosas promessas de sua predecessora.

A segunda acusação que se faz à teoria das alianças é que o Antigo Testamento fala de diversas alianças: uma aliança com Noé, pré-diluviana (Gênesis 6:18), uma com Noé, pós-diluviana (Gênesis 9:8-17), uma com Abraão (Gênesis 15:8, 18; 17:6-8), uma com Moisés (Êxodo 6:6-8), uma com Davi (Salmo 89:3, 4, 26-37), e uma nova aliança (Jeremias 31:31-34). À luz destes fatos, é correto falar de uma aliança da graça em lugar de alianças específicas? Se há diversas alianças, não é a teoria das alianças quase a mesma coisa que a dispensacional?

Embora os teólogos das alianças reconheçam cada uma dessas alianças, há algumas diferenças básicas entre as concepções pactual e dispensacional da história da salvação. Em resposta ao primeiro problema acima, a concepção pactual da história da salvação acentua a continuidade: uma geral aliança da graça obscurecia cada uma das alianças específicas. Os seres humanos foram chamados pela graça, justificados pela graça e adotados na família de Deus pela graça a partir da queda. Assim, os teólogos partidários das alianças crêem que é correto agrupar essas alianças individuais sob o título mais geral da aliança da graça.

Os teólogos dispensacionais dão mais ênfase à descontinuidade

Conquanto a maioria concorde em que a salvação sempre foi pela graça, crêem, também, que há mudanças significativas concernentes às ordens de Deus para uma vida de obediência que ocorre através das dispensações. Embora os teólogos dispensacionais de nossa época estejam agora acentuando a continuidade entre as dispensações, os teólogos dispensacionais anteriores encareceram as diferenças entre as dispensações. As responsabilidades do homem em cada dispensação eram vistas como um tipo diferente de prova da anterior. Assim, quando os homens falharam na obediência a Deus ao receberem a responsabilidade de seguir a consciência (segunda dispensação), Deus lhes deu a responsabilidade da obediência através do governo.

Os teólogos das alianças acentuam mais a natureza aditiva de preferência à disjuntiva das alianças. Por exemplo, a aliança feita com Noé depois do dilúvio era coerente com a aliança feita antes do dilúvio; ela simplesmente preenchia mais detalhes da relação da graça. De semelhante modo, a aliança mosaica não aboliu a abraâmica; pelo contrário, a aliança mosaica contribuiu para a abraâmica (Gálatas 3:17-22). Portanto, partindo exatamente dos mesmos dados e de pontos de vista semelhantes da inspiração e revelação, os teólogos das dispensações e os das alianças chegaram a opiniões um tanto diferentes da natureza da história da salvação, opiniões que, conseqüentemente, se refletem em sua análise teológica de todas as passagens, excluídas as Epístolas.

Modelo Epigenético

A teoria epigenética diz que a revelação divina é análoga ao crescimento de uma árvore oriunda de uma semente. Primeiro vem uma plantinha, depois uma árvore nova, e então uma árvore que chegou ao pleno crescimento. Este conceito pode contrastar-se com aquele que assemelha a revelação divina à construção de uma catedral. Uma catedral, quando edificada pela metade, é imperfeita. Uma árvore meio crescida é uma árvore perfeita. A teoria epigenética vê a auto-revelação de Deus como jamais imperfeita ou errônea, muito embora revelações posteriores possam acrescentar informação complementar.

A expressão *teoria epigenética* não tem sido amplamente empregada. A referência a ela se faz, freqüentemente, por outras expressões, como *unidade orgânica* da Escritura, na qual *orgânica* se refere ao conceito de crescimento vivo.

A idéia de revelação progressiva, quase unanimemente sustentada pelos eruditos evangélicos, é sobremodo coerente com a teoria epigenética. Revelação progressiva é o conceito de que a revelação de Deus aumentou gradualmente em precisão, clareza e plenitude no decorrer do tempo, assim como o tronco, as raízes e os galhos de uma árvore aumentam com o passar do tempo. Assim como o tronco e os galhos de uma árvore podem crescer em diferentes direções ao mesmo tempo, assim também os conceitos de Deus, de Cristo, da salvação e da natureza do homem cresciam simultaneamente à medida que a revelação de Deus progredia.

Em certos aspectos, o modelo epigenético pode ser visto como uma estrada intermediária entre a teologia da dispensação e a da aliança. Os teólogos da aliança muitas vezes criticam os da dispensação por minimizarem a unidade fundamental da Bíblia. Os dispensacionais alegam que os pactuais deixam de estabelecer importantes distinções (e.g., a diferença entre Israel e a igreja). Um modelo suscetível a ambas as críticas acentuaria a unidade da história da salvação, mas também permitiria uma diferenciação válida. O modelo epigenético, com seu tronco unificado e galhos variegados, proporciona esse equilíbrio.

Na opinião de Kaiser, o conceito de *promessa* divina podia servir como o conceito organizador central dentro do modelo epigenético. Ele descreve a promessa de Deus como um penhor de fazer ou ser algo para os israelitas do Antigo Testamento, depois para os futuros israelitas e, finalmente, para todas as nações. A promessa abrange, portanto, o passado, o presente e o futuro.

As ramificações da promessa incluem: (1) bênçãos materiais para todos, homens e animais; (2) uma semente especial para a humanidade; (3) uma terra para uma nação escolhida; (4) bênçãos espirituais para todas as nações; (5) livramento nacional da escravidão; (6) dinastia e reino duradouros que um dia abrangerão um domínio universal; (7) perdão de pecados; e outros.

A doutrina da promessa não é o único princípio organizacional recomendado para o modelo epigenético. Os luteranos, provavelmente, desejariam propor que Cristo seja o conceito central. J. Barton Payne podia ter proposto "o testamento de Deus".[9] Outros poderiam indicar a graça de Deus, em todas as suas manifestações, como uma possibilidade.

Uma Metodologia para Decidir-se Entre os Modelos

Qual desses cinco modelos ou hipóteses acerca da natureza da revelação divina reflete mais exatamente os dados bíblicos? Ninguém duvida de que há um desenvolvimento, uma mudança, do Antigo Testamento para o Novo. Os crentes do Antigo Testamento esperavam com prazer a vinda de um Redentor prometido; os crentes do Novo, ou viram pessoalmente, ou voltaram os olhos para o passado, para seu Redentor. A nova aliança era superior à antiga. Os judeus rejeitaram o evangelho, e ele foi levado aos gentios. De modo que a pergunta permanece: O método de Deus tratar com os homens tem sido antes de tudo contínuo ou descontínuo? É a natureza dessas várias épocas da história humana basicamente disjuntiva ou aditiva?

Do centro da posição em que nos encontramos é difícil ver objetivamente os méritos de nossa própria posição ou de outras. Um método alternativo de avaliar os vários modelos é, primeiro, organizar os dados bíblicos em torno de diversos conceitos-chave (conceitos que independem dos modelos comparados), e a seguir analisar cada modelo em termos de quão bem se ajusta aos dados e responde por eles.

Alguns dos mais importantes conceitos encontrados através das Escrituras incluem: (1) *princípios de Deus*, manifestos por meio de suas leis; (2) *graça de Deus*, manifesta em resposta a uma humanidade que repetidamente quebra os princípios divinos; (3) *salvação de Deus*, manifesta em sua provisão de um meio de reconciliação entre a raça humana e o próprio Deus; e (4) *obra de Deus nos indivíduos*, manifesta mediante o ministério do Espírito Santo. Nas páginas a seguir estudaremos cada um desses quatro conceitos, a começar pela graça de Deus. No final do capítulo solicitaremos ao leitor que apresente sua conclusão com vistas a qual modelo da relação de Deus com o homem explica mais adequadamente os dados bíblicos.

Conceito de Graça

Uma concepção comum de muitos crentes evangélicos é que a lei e a graça revelam aspectos opostos da natureza divina. A lei revela o aspecto irado, severo de Deus, o aspecto do Deus do Antigo Testamento; a graça revela seu lado misericordioso, amorável, o do Novo Testamento.

Muitos se surpreendem ao descobrir que a graça e o evangelho são conceitos encontradiços no Antigo Testamento. Ao falar dos israelitas do Antigo Testamento que Moisés conduziu do Egito para Canaã, diz Hebreus 4:1-2: "Temamos, portanto, que, sendo-nos deixada a promessa de entrar no descanso de Deus, suceda parecer que algum de vós tenha falhado. Porque também a nós foram anunciadas as *boas-novas, como se deu com eles;* mas a palavra que ouviram não lhes aproveitou, visto não ter sido acompanhada pela fé, naqueles que a ouviram".

De igual modo, verificamos que o evangelho foi pregado a Abraão. Diz Paulo em Gálatas 3:8-9: "Ora, tendo a Escritura previsto que Deus justificaria pela fé os gentios, preanunciou o evangelho a Abraão: Em ti serão abençoados todos os povos. De modo que os da fé são abençoados com o crente Abraão." Em outra epístola, Paulo diz que Abraão e Davi foram exemplos de homens justificados pela fé (Romanos 4:3-6).

Mas, referem-se essas passagens ao mesmo evangelho pelo qual somos salvos? Conquanto a palavra grega para evangelho (*evangelion*) seja a mesma em todas as referências, não poderia ela estar-se referindo a um evangelho diferente da aliança do Novo Testamento? Parece ser este o caso, pois a Bíblia apresenta diversos títulos descritivos, como: "evangelho da paz" (Efésios 6:15); "evangelho de Cristo" (1 Coríntios 9:12); "evangelho da graça de Deus" (Atos 20:24); "este evangelho do reino" (Mateus 24:14), e "um evangelho eterno" (Apocalipse 14:6). Uma vez que há diferentes títulos descritivos, há evangelhos diferentes?

A resposta de Paulo em Gálatas 1:6-9 é um vigoroso *não*.

> Admira-me que estejais passando tão depressa daquele que vos chamou na graça de Cristo, para outro evangelho; o qual não é outro, senão que há alguns que vos perturbam e querem perverter o evangelho de Cristo. Mas, ainda que nós, ou mesmo um anjo vindo do céu vos pregue evangelho que vá além do que vos temos pregado, seja anátema. Assim como já dissemos, e agora repito, se alguém vos prega evangelho que vá além daquele que recebestes, seja anátema.

É difícil evitar a conclusão de que Paulo cria com todas as veras que havia somente um evangelho, com a resultante inferência de que os vários títulos acima mencionados são descritivos do mesmo evangelho.[10] Abraão e Davi aguardavam esperançosos o cumprimento do evangelho do mesmo modo que nós, olhando para o passado, vemos sua realização em Cristo. Isto não quer dizer que os crentes do Antigo Testamento entendiam a expiação de Cristo com a clareza com a qual entendemos agora, mas que eles tinham fé em que Deus lhes proveria reconciliação, e Deus honrou essa fé concedendo-lhes a redenção.

Talvez haja evangelho no Antigo Testamento, mas que dizer da graça? Não é o Deus do Antigo Testamento um Deus severo de juízo em contraste com o gracioso Deus do Novo Testamento? Esta pergunta conduz-nos a um dos mais belos conceitos do Antigo Testamento, porém o menos entendido.

Há prova da graça de Deus em cada dispensação. Quando Adão e Eva pecaram, Deus interveio graciosamente, prometeu um Redentor, e fez provisão imediata para que fossem aceitos diante dele em sua condição pecaminosa. Na dispensação da consciência, Noé achou graça diante do Senhor (Gênesis 6:8); Deus interveio graciosamente, salvando a Noé e sua família. Na dispensação do governo civil, o homem rebelou-se construindo a torre de Babel. Deus não destruiu a criação rebelde, mas continuou a operar nos corações de homens como Abraão e Melquisedeque, concedendo uma graciosa promessa de que ele abençoaria o mundo inteiro por intermédio de Abraão. Na dispensação da lei mosaica, Deus continuou a tratar graciosamente com Israel a despeito dos muitos e contínuos períodos de decadência e apostasia. Na dispensação da graça, ele continua a tratar graciosamente com a humanidade.

Há muitas outras provas de que o Deus do Antigo Testamento é um Deus de graça. Os Salmos 32 e 51 lembram-nos de que um adúltero e até um homicida podem encontrar perdão em Deus. O Salmo 103 canta a misericórdia e o imutável amor de Deus em palavras sem paralelo em toda a Bíblia. Portanto, o Deus do Antigo Testamento não é um Ser destituído de graça: sua graça, misericórdia e amor são tão evidentes no Antigo Testamento quanto no Novo.

Conceito de Lei

Um conceito intimamente entrelaçado com a graça é o de lei. Do mesmo modo que alguns cristãos crêem que a natureza básica de Deus revelada no Antigo Testamento difere de sua natureza conforme a revela o Novo, assim também alguns crêem que o meio de ganhar a salvação no Antigo Testamento difere daquele que o Novo apresenta. O ponto de vista mais comum é de que a salvação era mediante a lei no Antigo Testamento e mediante a graça no Novo.[11]

Contexto da Doação da Lei. Um exame do contexto em que a lei foi dada fornece pistas concernentes ao seu propósito. Primeiro, a lei foi dada no contexto de uma aliança graciosa. Deus havia feito um pacto de graça com Abraão, pacto que a doação da lei nunca revogou (Gálatas 3:17). Segundo, Deus graciosamente tirou Israel do Egito e tomou providências para o sustento do povo com maná e com outros milagres durante sua peregrinação no deserto. Terceiro, a lei foi dada depois de Israel, como um corpo de crentes, haver-se comprometido a servir ao Senhor (Êxodo 19:8). Portanto, a lei foi dada, não como um meio de justificação, mas como uma diretriz para viver depois do que Israel se comprometeu a servir ao Senhor.

Foi a lei dada mesmo hipoteticamente como meio de justificação (salvação)? Informa-nos o Novo Testamento que a lei jamais poderia servir como salvação. Paulo ensina que ninguém é justificado diante de Deus pelas obras da lei (Gálatas 3:11, 21, 22).[12] Romanos 4:3 ensina que Abraão foi salvo pela fé, e não pelas obras; e os versículos subseqüentes (13-16) ensinam que a promessa se estendeu aos descendentes de Abraão, não por causa das obras destes, mas em virtude da sua fé.

Como, pois, entendemos o ensino de Paulo de que já não estamos sob o domínio da lei (Romanos 6:14; 7:4) mas fomos libertos dela (Romanos 7:6) porque Cristo cumpriu em nós a justiça da lei? A resposta a esta pergunta pode ser entendida à luz do ensino bíblico sobre os aspectos e os objetivos da lei.

Três aspectos da Lei. Ezekiel Hopkins sugeriu que a lei do Antigo Testamento pode, significativamente, dividir-se em três aspectos: o *cerimonial* (as observâncias rituais que apontavam para a frente, para a expiação final em Cristo); o *judicial ou civil* (as leis que Deus prescreveu para uso no governo civil de Israel), e o *moral* (o corpo de preceitos morais de aplicação universal, permanente, a toda a humanidade).

Alguns têm argumentado contra a validade das distinções acima dizendo que os israelitas do Antigo Testamento não entendiam sua lei de acordo com essas três categorias, e o Novo Testamento não estabelece, explicitamente, tais distinções. Os crentes do Antigo Testamento provavelmente não dividiam a lei segundo essas categorias: tal divisão teria sido supérflua, visto que os três aspectos da lei se aplicavam a eles. Como crentes do Novo Testamento, cabe-nos decidir se ele convalida ou não essas distinções. Além disso, embora o Novo Testamento não estabeleça *explicitamente* tais distinções, grande parte de nosso estudo teológico envolve explicitar o que se encontra implícito no relato bíblico. David Wenham diz:

> Temos de distinguir as leis das quais se possa dizer que apontam para o futuro, para Cristo, e que são, portanto, desnecessárias após a sua vinda (e.g., as leis cerimoniais de acordo com Hebreus) e as leis morais, que não apontam tão obviamente para Cristo (embora ele as tenha explicado mais plenamente) e que continuam vinculando as verdades morais para os cristãos. Cristo

"cumpriu" as leis morais num sentido muito diferente das cerimoniais: elas não são suplantadas; pelo contrário, estão incluídas na estrutura de referência do Novo Cristão. Assim, embora o Novo Testamento não exponha com detalhes a distinção entre a lei moral e a cerimonial, na prática ele parece reconhecê-la.

O *aspecto cerimonial* da lei abrange os vários sacrifícios e ritos cerimoniais que serviram como figuras ou tipos que apontavam para o Redentor vindouro (Hebreus 7—10). Vários textos do Antigo Testamento confirmam que os israelitas tinham uma concepção do significado espiritual desses ritos e cerimônias (Levítico 20:25, 26; Salmos 26:6; 51:7, 16, 17; Isaías 1:16). Diversos textos do Novo Testamento diferenciam o aspecto cerimonial da lei e apontam para seu cumprimento em Cristo (e.g., Marcos 7:19; Efésios 2:14-15; Hebreus 7:26-28; 9:9-11; 10:1, 9).

Com respeito ao aspecto cerimonial da lei, uma passagem do Novo Testamento (Hebreus 10:1-4) levanta uma significativa questão que merece ser discutida aqui. A passagem diz:

> Ora, visto que a lei tem sombra dos bens vindouros, não a imagem real das coisas, nunca jamais pode tornar perfeitos os ofertantes, com os mesmos sacrifícios que, ano após ano, perpetuamente, eles oferecem. Doutra sorte, não teriam cessado de ser oferecidos, porquanto os que prestam culto, tendo sido purificados uma vez por todas, não mais teriam consciência de pecados? Entretanto, nesses sacrifícios faz-se recordação de pecados todos os anos, porque é impossível que sangue de touros e de bodes remova pecados.

À primeira vista este trecho bíblico parece contradizer certas passagens do Antigo Testamento que indicam que os crentes desse período eram, deveras, perdoados sobre a base de arrependimento e de ofertas apropriadas. Talvez uma analogia moderna explique mais facilmente este problema. Os sacrifícios do Antigo Testamento podem ser comparados a um cheque destinado a pagar uma conta. Num sentido, a conta está paga quando o cheque é preenchido e entregue ao seu beneficiário; mas em outro sentido, a conta não está paga enquanto não se efetuar a transferência do dinheiro, do qual o cheque é um símbolo. De semelhante modo, os sacrifícios do Antigo Testamento purificaram de pecados os crentes, mas estes só receberam a purificação final quando Cristo morreu e liquidou o saldo sobre o qual os sacrifícios do Antigo Testamento eram tão-somente notas promissórias. É importante acentuar que a lei cerimonial foi cumprida, e não anulada ou ab-rogada (Mateus 5:17-19).

O *aspecto civil, ou judicial* da lei abrange os preceitos dados a Israel para o governo do seu estado civil. Embora muitos governos gentios tenham adotado certos princípios desta porção da lei como se deles fossem, essas leis civis parecem ter em mira o governo do povo judeu, e aos crentes de outras nações ordena-se obediência às leis civis de seus próprios governos.

O *aspecto moral* da lei reflete a natureza e perfeição moral de Deus. Uma vez que a natureza moral de Deus permanece inalterável, permanece inalterável a lei moral e é tão aplicável ao crente hodierno quanto o foi aos crentes aos quais foi dada. O cristão está morto para o poder condenador da lei (Romanos 8:1-3), mas ainda permanece sob sua ordem de obediência como um guia para a vida reta diante de Deus (Romanos 3:31; Romanos 6; 1 Coríntios 5; 6:9-20).

Objetivos da Lei. Diversas passagens bíblicas falam dos objetivos da lei. Gálatas 3:19 ensina que ela foi dada "por causa das transgressões" ou, como diz certa versão inglesa, "para tornar o erro uma ofensa legal". Assim, um objetivo primário da lei era conscientizar os homens da distinção entre o bem e o mal, entre o certo e o errado.

Um motivo relacionado encontra-se em 1 Timóteo 1:8-11; este trecho ensina que a lei é boa se for utilizada de modo legítimo. O contexto deixa evidente que a "utilização legítima da lei" era restringir a prática do mal. Assim, conscientizando os homens de que algumas ações são moralmente erradas, a lei serve, pelo menos até certo grau, como inibidora do erro.

O terceiro objetivo da lei é atuar como um guarda que conduz os indivíduos a Cristo (Gálatas 3:22-24). Ao mostrar-lhes sua pecaminosidade, a lei serve de guia ou tutor. Mostra-lhes que a única esperança que eles têm de justificação é por intermédio de Cristo.

O quarto objetivo da lei é servir de diretriz para o viver piedoso. O contexto primitivo da doação da lei seguiu-se imediatamente ao compromisso dos israelitas de serem fiéis ao Deus verdadeiro. A lei era um guia que revelava como eles poderiam permanecer fiéis ao seu compromisso, embora cercados por nações idólatras e imorais.

No Novo Testamento também, a obediência nunca é considerada parte opcional da vida do crente. Jesus disse: "Se me amais, guardareis os meus mandamentos" (João 14:15). João 15:10 cita estas palavras de Jesus: "Se guardardes os meus mandamentos, permanecereis no meu amor." O ensino de 1 João 3:9 é que o verdadeiro crente não vive na prática do pecado, e toda a epístola de Tiago é devotada ao ensino de que a verdadeira fé resultará em comportamento piedoso. O motivo da obediência é o amor e não o medo (1 João 4:16-19), mas a salvação pela graça de maneira alguma remove o fato de que a obediência à lei moral de Deus é um *resultado* intrínseco da verdadeira fé salvadora.

Conhecedores desses aspectos e objetivos da lei, podemos entender melhor os escritos de Paulo sobre ela. Os argumentos de Paulo em Gálatas não eram contra a lei, mas contra o *legalismo* — essa perversão que diz que a salvação pode ser obtida mediante a observância da lei. Os judaizantes esforçavam-se por persuadir os crentes gálatas a misturar a salvação pela graça com a salvação pela lei — dois sistemas incompatíveis. Paulo traçou a história de Israel, mostrando que os crentes, a partir de Abraão, haviam sido salvos pela graça, e que ninguém jamais podia ser salvo mediante a guarda da lei, visto que ela não tinha por objetivo trazer salvação. Por outro lado, argumentou vigorosamente em favor do uso da lei — como indicador dos padrões morais de Deus, como um freio contra a prática do mal, como um aio que conduz os indivíduos a Cristo, e como o guia do crente para uma vida piedosa.

O crente do Novo Testamento não está "sob a lei" em três sentidos: (1) não está sob a lei cerimonial porque esta foi cumprida em Cristo; (2) não está sob a lei civil judaica porque esta não se destinava a ele, e (3) não está sob a condenação da lei porque sua identificação com a morte expiatória e vicária de Cristo liberta-o dela.

Em resumo, pois, a lei continua a desempenhar as mesmas funções no Novo Testamento que desempenhava no Antigo. A compreensão errônea de que a lei era realmente um segundo meio de salvação baseia-se no fato de que os próprios israelitas semelhantemente a entenderam mal, e transformaram-na em legalismo, desviando-a de seu objetivo correto. O legalismo nada mais era do que a tentativa de ganhar a salvação mediante a guarda da lei. A evidência bíblica parece sustentar a crença luterana de que a lei e a graça permanecem como partes contínuas, inseparáveis, da história da salvação desde o Gênesis até ao Apocalipse.

Conceito de Salvação

A salvação, quer no Antigo, quer no Novo Testamento, já foi mencionada diversas vezes na análise da lei e da graça, por isso esta seção funcionará basicamente como resumo dos pontos discutidos naquelas. No Antigo Testamento, bem como no Novo, a expiação se fez pelo derramamento de sangue (Levítico 17:11; Hebreus 9:22). O derramamento do sangue de animal no Antigo Testamento tinha eficácia porque apontava para a expiação final no Calvário (Hebreus 10:1-10).

Os crentes do Antigo Testamento eram justificados pela fé assim como os do Novo (Gálatas 2:15—3:29) e são chamados santos (isto é, santificados) do mesmo modo que os crentes do Novo Testamento (Mateus 27:52).

Deus revela a lei e sua graça através do Antigo Testamento e do Novo, simultaneamente, não como meios de salvação mutuamente exclusivos, mas como aspectos complementares de sua natureza. A lei revela sua natureza moral, que ele não pode comprometer e ainda permanecer um Deus moral; a graça revela seu plano amoroso para prover um meio de reconciliar os seres humanos com ele próprio, muito embora sejam imperfeitos, sem que se comprometa a sua natureza.

A fé na divina provisão de um sacrifício permanece como base de salvação através de ambos os Testamentos. A exatidão que o crente do Antigo Testamento manifestava da concepção do objeto dessa fé mudou com o decorrer do tempo — desde a primeira obscura compreensão de Eva até as concepções mais completas de Isaías, até à compreensão de pós-ressurreição dos apóstolos; mas o objeto último dessa fé, Deus o Redentor, permanece o mesmo através dos milhares de anos da história do Antigo Testamento. Na religião judeu-cristã como em nenhuma outra, a salvação sempre permanece uma dádiva de Deus, e não obra do homem. Portanto, é provavelmente exato concluir que a salvação por toda a Bíblia é basicamente contínua, dando apenas uma ênfase secundária à descontinuidade.

O Ministério do Espírito Santo

O quarto tópico que tem implicações gerais quanto ao problema da continuidade versus descontinuidade através de ambos os Testamentos é o ministério do Espírito Santo. É sua obra a mesma em ambos os Testamentos, ou tem ela sido diferente a partir do Pentecoste?

Quanto a esta matéria, os teólogos estão em considerável desacordo. Paul K. Jewett exemplifica uma perspectiva descontínua, ao dizer: "A era da igreja pode ser chamada de a era do Espírito, e o tempo que a precedeu pode ser citado como um tempo quando o Espírito ainda 'não fora dado' (João 7:39). A diferença entre a manifestação do Espírito antes e depois do Pentecoste foi tão grande que ela pode ser declarada em absolutos, embora tais absolutos não devam ser literalmente pressionados."[13]

Em contraste, Walters conclui que o ministério do Espírito Santo demonstra continuidade através do Antigo e do Novo Testamentos. Diz ele:

> Não há antítese irreconciliável, como diriam alguns, entre o ensino do Antigo Testamento e o do Novo sobre este assunto. Do mesmo modo como não existe dicotomia entre a ênfase do Antigo Testamento sobre a natureza providencial dos tratamentos de Deus com os homens e o ensino do Novo concernente à sua graça, ou entre a atividade na criação do Verbo pré-encarnado, de um lado, e a obra de redenção do Filho encarnado, do outro, assim se dá com o ensino da Escritura concernente ao Espírito Santo. É o mesmo Pai e o mesmo Filho ativos em ambos os Testamentos e é o mesmo Espírito Santo em operação através dos séculos. Em realidade, temos de aguardar a revelação do Novo Testamento antes que nos seja dado um quadro detalhado da sua atividade. Mas este ensino mais completo, dado por nosso Senhor e por seus apóstolos, de maneira nenhuma entra em conflito com o que aprendemos dos escritores do Antigo Testamento.[14]

Muitos cristãos evangélicos vêem o Espírito Santo como um membro um tanto inativo da Trindade através do Antigo Testamento, o qual não começou intervenção significativa nos negócios humanos até o Pentecoste.[15] Com efeito, diversas passagens parecem indicar mudança significativa na atividade do Espírito Santo após o Pentecoste. Diz João 7:39 que o Espírito Santo não fora dado ao tempo do ministério terrenal de Cristo. João 14:26 emprega o tempo futuro com referência à vinda do Espírito. Em João 16:7 Cristo diz que o Espírito não virá a menos que ele (Cristo) se vá, e em Atos 1:4-8 ele ordenou aos discípulos que aguardassem em Jerusalém até que o Espírito Santo descesse sobre eles.

Por outro lado, diversas passagens falam de um ativo ministério do Espírito Santo no Antigo Testamento. Por exemplo, ele habitou entre os israelitas nos dias de Moisés (Isaías 63:10-14); habitou em Josué (Números 27:18); deu poder a Otniel e o guiou (Juízes 3:10); concedeu capacidade a artífices (Êxodo 31:1-6). O Espírito Santo dotou de poder a Sansão (Juízes 13:25; 14:6; 15:14); impeliu o rei Saul a profetizar (1 Samuel 10:9-10); e habitou em Davi (Salmo 51:11). Todos os profetas (escritores) do Antigo Testamento profetizaram como o fizeram por causa da energia recebida do Espírito Santo (1 Pedro 1:10-12; 2 Pedro 1:21). Ele habitou entre os israelitas que retornaram do cativeiro na Babilônia (Ageu 2:5).

Há diversas referências à atividade do Espírito Santo antes do Pentecoste também no Novo Testamento. João Batista foi cheio do Espírito desde o ventre materno (Lucas 1:15). Zacarias, seu pai, foi cheio do Espírito, resultando na profecia registrada em Lucas 1:67-69. O Espírito Santo estava sobre Simeão (o tempo do verbo implica continuidade), inspirando-o a profetizar quando tomou nos braços o menino Jesus (Lucas 2:25-27). Jesus disse aos apóstolos, na última ceia, que eles conheciam o Espírito Santo, porque ele já habitava com eles (João 14:17). Em uma de suas aparições pós-ressurreição antes do Pentecoste, Jesus outorgou o Espírito aos apóstolos (João 20:22).

Como, pois, conciliaremos esses versículos indicadores de que o Espírito Santo estava ativo antes do Pentecoste na vida dos crentes do Antigo assim como do Novo Testamento, com a ordem de Cristo de que os apóstolos esperassem em Jerusalém a vinda do Espírito sobre eles (Atos 1:4-5)? As aparentes contradições podem tornar-se mais evidentes justapondo-se diversos versículos para efeito de comparação:

1º conjunto
1. João 7:39: O Espírito Santo ainda não lhes fora dado.
2. João 16:7: O Espírito Santo não viria a não ser que Jesus Cristo se fosse.
3. Atos 1:4-8: Os apóstolos deviam esperar em Jerusalém até à descida do Espírito Santo.

2º conjunto
1. João 14:17: O Espírito Santo (já) habitava com eles.
2. João 20:22: Cristo soprou sobre eles o Espírito Santo enquanto ainda estava com eles.

Pelo menos três métodos têm sido indicados para conciliar essas aparentes contradições. O primeiro propõe que a atividade do Espírito Santo antes do Pentecoste era semelhante à que ele exerceu depois do Pentecoste, porém que sua ação na vida dos homens era esporádica em vez de constante. Uma das principais dificuldades deste ponto de vista é que em alguns dos ministérios do Espírito Santo (como na concessão de capacidades de artesanato, ou mais importante ainda, no processo de crescimento do crente), requer-se um ministério constante e não esporádico.

O segundo método distingue entre o ministério do Espírito Santo estar "sobre" (ou "entre") e "em" o povo de Deus. Segundo este ponto de vista, o Espírito Santo estava entre e sobre os crentes antes do Pentecoste, mas ainda não residia neles (João 14:17). Uma grande dificuldade que esta hipótese oferece é, naturalmente, a de determinar se a santificação do crente pode ser realizada com apenas uma operação esporádica e externa do Espírito, ou se o processo de crescimento espiritual demanda um relacionamento mais contínuo, interno, entre o crente e o Espírito Santo.

O terceiro método focaliza o significado de "vir" e "ir" quando se aplica a Deus. Quando se refere a Deus (excetuando-se Cristo em sua condição terrenal), o conceito de vir e ir não se refere a movimento de um local físico para outro, porque Deus, como Ser espiritual, é onipresente. Por exemplo, quando Isaías disse: "Oh! se fendesses os céus, e descesses!" (Isaías 64:1), o contexto mostra que Isaías sabia que Deus estava com ele em seu ministério, e o que ele estava solicitando a Deus era uma manifestação especial de sua presença. Por semelhante modo, quando Davi, no Salmo 144:5, pediu a Deus que descesse, o contexto indica que Davi sabia que Deus o estava protegendo dos que buscavam tirar-lhe a vida, mas ele necessitava de uma manifestação especial do livramento divino. Poderíamos mencionar outros versículos, mas tanto a evidência bíblica quanto a evidência lógica concernentes à existência de Deus como Ser espiritual (um Ser para quem os parâmetros de tempo e espaço não significam a mesma coisa que para nós), indicam que o conceito de vir e de ir de Deus não se refere à sua movimentação de um local para outro. Antes, "vir" ou "descer", quando se aplica a Deus, muitas vezes se refere à sua manifestação de algum modo especial.

Portanto, quando Cristo ordenou aos apóstolos que esperassem a descida do Espírito Santo, podemos entendê-lo como ordem para esperar uma manifestação especial da presença do Espírito Santo, manifestação que os dotaria de poder a fim de iniciar o programa missionário para esta era. (*Batizá*-los e *descer sobre* eles são empregados como sinônimos neste caso: Atos 1:5, 8).

Este entendimento da palavra *descer* também nos ajuda a conciliar as passagens que indicam que os discípulos já haviam recebido o Espírito Santo (João 20:22) com o fato de que eles ainda deviam esperar a descida do Espírito. Eles ainda deviam esperar por uma manifestação especial de sua presença que os transformaria de discípulos medrosos em apóstolos corajosos, muito embora ele já estivesse presente em suas vidas.

Podemos, também, usar esta interpretação para entender o significado de João 7:37-39. Esta passagem difícil diz:

> No último dia, o grande dia da festa, levantou-se Jesus e exclamou: Se alguém tem sede, venha a mim e beba. Quem crer em mim, como diz a Escritura, do seu interior fluirão rios de água viva. Isto ele disse com respeito ao Espírito que haviam de receber os que nele cressem; pois o Espírito até esse momento não fora dado, porque Jesus não havia sido ainda glorificado.

Que é que o versículo 39 quer dizer com a frase "o Espírito até esse momento não fora dado"? João 14:17 ensina que ele habitava entre eles nesse tempo. O contexto dá-nos pistas importantíssimas concernentes ao significado da sentença. O versículo 39 declara que o evento não aconteceria até que Jesus fosse glorificado. No Evangelho de João, a glorificação de Jesus refere-se à oferta de si mesmo na cruz e à consumação de sua obra terrenal. O texto dá a entender que o Espírito Santo não se havia manifestado de um modo ao qual se pudesse referir como correntes de água viva fluindo dos corações dos crentes, e não se manifestaria deste modo enquanto Cristo não houvesse concluído seu ministério terreno.

A metáfora "rios de água viva" significa, numa região deserta como a Palestina, um motivo para regozijo e louvor. A mais provável referência ao cumprimento desta passagem é a manifestação especial do Espírito Santo no Pentecoste. A metáfora cai bem, porque os primeiros pronunciamentos glossolálicos foram de louvor (Atos 2:11). Se esta análise for correta, então o ensino desta passagem não é que o Espírito Santo não estivesse presente naquele tempo (interpretação que contradiria outras passagens bíblicas conforme demonstrado acima), e, sim, que o Espírito Santo não se manifestaria deste modo especial enquanto Cristo não fosse glorificado. Análise semelhante pode-se fazer da passagem de João 16.

Para finalidade de análise teológica, a pergunta é: "A obra do Espírito Santo no Antigo e no Novo Testamentos é antes de tudo contínua, aumentando talvez em quantidade mas permanecendo qualitativamente a mesma, ou sua obra é basicamente descontínua, mudando após o Pentecoste?" A evidência bíblica diz que o Espírito Santo ministrou de modos semelhantes em ambos os Testamentos, convecendo as pessoas do pecado, conduzindo-as à fé, guiando-as e dando-lhes poder, inspirando-as a fazer profecias orais ou escritas, dando-lhes dons espirituais, e regenerando e santificando-as.

Outros fatores

Dois outros fatores têm implicações com relação ao problema da continuidade-descontinuidade. O primeiro deles refere-se a citações coletivas, isto é, citações que têm sido extraídas de diversas passagens do Antigo Testamento com o fim de provar o ponto em debate. Tais citações encontram-se, por exemplo, em Romanos 3:10-18, e Hebreus 1:5-13; 2:6-8, 12, 13. O fenômeno das citações coletivas faz mais sentido se a história da salvação for uma unidade em vez de uma série de teologias descontínuas.

O segundo é o ensinamento de 2 Timóteo 3:16-17. Esta passagem parece mais consentânea com uma perspectiva contínua da história da salvação do que uma descontínua. Compare-se o ensino de Paulo com uma paráfrase de diversas declarações de fé usadas por várias igrejas:

2 Timóteo 3:16-17
Toda Escritura é inspirada por Deus e útil para o ensino, para a repreensão, para a correção, para a edificação na justiça.
Declaração de Fé
Toda Escritura é inspirada por Deus, e o Novo Testamento é útil para o ensino, para a repreensão...

A diferença entre elas é especialmente interessante porque o jovem pastor cristão, para quem foi escrita 2 Timóteo, provavelmente possuía uma Bíblia composta de trinta e nove livros do Antigo Testamento e quatro do Novo. Não obstante, Paulo lhe diz que todos esses livros são úteis para o ensino cristão, para a repreensão, para a correção, para a edificação na justiça. É importante repensar nossa atitude para com o Antigo Testamento à luz do ensino de Paulo nesta passagem.

Resumo do Capítulo

A análise teológica pergunta: "De que modo esta passagem se encaixa no padrão total da revelação de Deus?" Antes de respondermos a essa pergunta, devemos ter uma compreensão do padrão da história da revelação.

Várias opiniões são apresentadas — desde as que acentuam grandes descontinuidades dentro da história bíblica até as que acentuam continuidade quase total. Cinco dessas teorias foram apontadas e discutidas com relação ao *continuum* continuidade-descontinuidade.

Também foram debatidos quatro conceitos bíblicos principais — graça, lei, salvação e o ministério do Espírito Santo — termos do problema continuidade-descontinuidade, e esperamos que o leitor gaste algum tempo neste ponto tirando suas próprias conclusões acerca da natureza da história da salvação. Este processo forma a base para a análise teológica.

Os passos dessa análise são:

1. *Determinar seu próprio ponto de vista da natureza do relacionamento de Deus com o homem.* A coleta de provas, a estruturação das perguntas, e a compreensão de determinados textos apresentados neste capítulo são, sem dúvida alguma, tendenciosos pelas concepções que o autor possui de uma visão bíblica da história da salvação. A conclusão deste passo é por demais importante para adotar a de outrem sem que o próprio leitor considere cuidadosamente e em espírito de oração a evidência.

2. *Descobrir as implicações deste ponto de vista para a passagem que está sendo estudada.* Por exemplo, uma posição sobre a natureza da relação de Deus com o homem, basicamente descontínua, verá o Antigo Testamento como menos pertinente aos nossos contemporâneos do que o Novo Testamento.

3. *Avaliar a extensão do conhecimento teológico disponível às pessoas daquele tempo.* Que conhecimento prévio haviam elas recebido? (Nos livros que tratam de hermenêutica, às vezes este conhecimento prévio é mencionado como "analogia da Escritura".) Bons textos de teologia bíblica podem revelar-se muito úteis a este respeito.

4. *Determinar o significado que a passagem possuía para seus primitivos destinatários à luz do conhecimento que tinham.*

5. *Descobrir o conhecimento complementar acerca deste ponto que hoje temos disponível em virtude de revelação posterior.* (Nos livros de hermenêutica, às vezes este ponto é mencionado como a "analogia da fé".)

Exercícios

PC26: Pense, com cuidado, sobre o problema continuidade-descontinuidade, usando o texto, as leituras recomendadas, e seus próprios recursos para examinar mais a questão. Escreva um resumo de sua própria posição. Esta, provavelmente, será provisória

Análise Teológica 117

Sumário de Hermenêutica Geral

Análise Histórico-Cultural e Contextual

1. Determinar o ambiente geral histórico e cultural do escritor e de sua audiência.
   a. Determinar as circunstâncias históricas gerais.
   b. Estar cônscio das circunstâncias e normas culturais que acrescentam significado a determinadas ações.
   c. Discernir o nível de compromisso espiritual da audiência.
2. Determinar o objetivo que o autor tinha em escrever um livro, mediante:
   a. Notar as declarações explícitas ou repetição de frases.
   b. Observar as seções parenéticas ou hortativas.
   c. Observar os problemas omitidos ou os focalizados.
3. Entender como a passagem se enquadra em seu contexto imediato.
   a. Apontar os principais blocos de material no livro e mostrar como se ajustam num todo coerente.
   b. Mostrar como a passagem se encaixa na corrente de argumento do autor.
   c. Determinar a perspectiva que o autor tencionava comunicar — numenológica ou fenomenológica.
   d. Distinguir entre verdade descritiva e verdade prescritiva.
   e. Distinguir entre detalhes incidentais e o núcleo de ensino da passagem.
   f. Indicar a pessoa ou categoria de pessoas para as quais a passagem se destinava.

Análise Léxico-Sintática

1. Indicar a forma literária geral.
2. Investigar o desenvolvimento do tema do autor e mostrar como a passagem sob consideração se encaixa no contexto.
3. Indicar as divisões naturais (parágrafos e sentenças) do texto.
4. Indicar as palavras conectivas dentro dos parágrafos e sentenças e mostrar de que modo elas auxiliam a entender a progressão de pensamento do autor.
5. Determinar o que significam as palavras tomadas isoladamente.
   a. Indicar os significados múltiplos que uma palavra possuía em seu tempo e cultura.
   b. Determinar o significado único que o autor tinha em mente em determinado contexto.
6. Analisar a sintaxe para mostrar de que modo ela contribui para a compreensão da passagem.
7. Colocar os resultados de sua análise em palavras não-técnicas, de fácil compreensão, que transmitam com clareza o significado que o autor tinha em mente.

Análise Teológica

1. Determinar sua própria perspectiva da natureza do relacionamento de Deus com o homem.
2. Apontar as implicações desta perspectiva para a passagem que você está estudando.
3. Avaliar a extensão do conhecimento teológico disponível às pessoas daquele tempo.
4. Determinar o significado que a passagem possuía para seus primitivos destinatários à luz do conhecimento que tinham.
5. Indicar o conhecimento complementar acerca deste tópico que hoje temos disponível por causa de revelação posterior.

a esta altura, sujeita a modificações à medida que você adquirir mais informação.

PC27: Um casal em sério conflito dirige-se a você em busca de aconselhamento acerca de certa questão. O marido diz que precisam de um carro novo e deseja obter financiamento do banco, visto que eles não têm dinheiro para comprar o carro à vista. A esposa, baseando seu argumento em Romanos 13:8 ("A ninguém fiqueis devendo coisa alguma"), acredita ser errado tirar empréstimo para comprar o carro. O marido diz que não acha que este versículo se refira à situação do casal e deseja saber o que você pensa. Que fará você?

PC28: Pelo menos uma denominação protestante recusa-se a ter um ministro pago, tomando por base 1 Timóteo 3:3. Concorda você com a base bíblica da prática dessa denominação? Por que concorda, ou por que não?

PC29: Um casal a quem você tem aconselhado revela que o marido vem tendo um "caso". O marido professa ser cristão, por isso você lhe pergunta como ele harmoniza seu comportamento com o ensino bíblico sobre a fidelidade matrimonial. Ele responde que ama a ambas as pessoas, e justifica seu comportamento com base em 1 Coríntios 6:12 ("Todas as coisas me são lícitas"). Que fará você?

PC30: Você faz parte de um grupo de discussão de estudo da Bíblia no qual alguém apresenta um ponto baseado numa passagem do Antigo Testamento. Outra pessoa responde: "Isso é do Antigo Testamento e, portanto, não se aplica a nós como cristãos." Como líder do estudo dessa noite, como você resolveria a situação?

PC31: Um sincero jovem cristão freqüentou uma série de ensinos baseados no Salmo 37:4 ("Agrada-te do Senhor, e ele satisfará os desejos do teu coração") e em Marcos 11:24 ("Tudo quanto em oração pedirdes, crede que recebereis, e será assim convosco"). Baseado no ensino, ele começou a emitir cheques "pela fé", e ficou um tanto desalentado quando foram devolvidos por falta de fundos. De que modo você o aconselharia com vistas ao ensino que ele havia recebido concernente a esses versículos?

PC32: Seu primo, que agora freqüenta um seminário neo-ortodoxo, argumenta contra a adoção da hermenêutica que considera com cuidado as questões históricas, culturais, contextuais e gramaticais porque "a letra mata, mas o espírito vivifica" (2 Coríntios 3:6). Ele continua, e declara que as interpretações deveriam estar de acordo com o "espírito do Cristianismo", e que seu método de interpretação muitas vezes resulta em exegese que já não é coerente

Análise Teológica 119

com o gracioso espírito de Cristo. Qual seria a sua resposta?

PC33: Alguns escritores têm dito que há incongruência entre a doutrina de Paulo (como se encontra em Gálatas 2:15-16; Romanos 3:20, 28) e a de Tiago (encontrada em Tiago 1:22-25; 2:8, 14-17, 21-24). Acha você que é possível conciliá-las? Em caso afirmativo, como as conciliaria?

PC34: A experiência de Paulo em Romanos 7:7-25 tem sido, desde longa data, fonte de discussão entre os cristãos, com importantes implicações para os conselheiros. A principal pergunta é: Sua experiência é a luta de um crente ou é apenas uma luta pré-conversão? Usando seus conhecimentos de hermenêutica, compare os argumentos a favor de cada interpretação. Você pode apresentar uma interpretação alternativa se puder justificá-la exegeticamente. Quais são as implicações de sua interpretação para a saúde mental cristã e para o aconselhamento cristão?

---

1. F. F. Bruce, "Prefácio", em *God's Strategy in Human History*, red. R. Forster & V. Marston (Wheaton: Tyndale, 1973), p. vii.
2. C. I. Scofield, *Rightly Dividing the Word of Truth* (Findlay, Ohio: Dunham, 1956).
3. John W. Bowman, "The Bible and Modern Religions, II. Dispensationalism", *Interpretation* 10 (abril de 1956): 172.
4. Bíblia de Referência de Scofield (Nova York: Oxford University Press 1917), p. 5. A maioria dos escritores dispensacionais contemporâneos acentuam o conceito de vários arranjos de despenseiros em vez de períodos de tempo.
5. Charles C. Ryrie, *Dispensationalism Today* (Chicago: Moody Press, 1965), pp. 57-64.
6. Charles C. Cook, *God's Book Speaking for Itself* (Nova York: Doran, 1924), p. 31.
7. H. P. Hook, "Dispensation", em *Zondervan Pictorial Encyclopedia of the Bible*, red. Merrill Tenney (Grand Rapids: Zondervan, 1975), 2:144.
8. Alguns teólogos Reformados falam de uma terceira aliança — a aliança da redenção — que foi formada na eternidade passada. Esta foi um acordo entre o Pai e o Filho, no qual o Pai proclamou o Filho como Cabeça e Redentor dos eleitos, e o Filho voluntariamente concordou em morrer por aqueles que o Pai lhe havia dado.
9. J. Barton Payne, *The Theology of the Old Testament* (Grand Rapids: Zondervan, 1962), pp. 71-96.
10. Para um estudo da opinião de que há realmente quatro formas do evangelho, veja a nota sobre Apocalipse 14:6 na Bíblia de Referência de Scofield. A parte 3 desta nota assevera que as várias formas do evangelho não devem ser identificadas entre si. A nota paralela na Nova Bíblia de Referência Scofield modifica a posição acima, dizendo que há somente um evangelho da salvação, com vários aspectos.
11. A notória observação na Bíblia de Referência de Scofield (João 1:17), que parecia indicar haver dois meios de salvação, foi citada anteriormente no texto. Talvez interesse ao leitor saber que esta nota e outras que pareciam indicar dois meios de salvação foram significativamente reformuladas na Nova Bíblia de Referência de Scofield. As notas da Scofield revista são em geral consentâneas com a perspectiva de que a salvação sempre o foi pela graça, embora as regras para o viver obediente possam mudar através das dispensações.
12. Veja também Romanos 11:6; Gálatas 2:15, 16, 21; 5:3, 4; Efésios 2:8, 9; Filipenses 3:9.
13. Paul K. Jewett, "Holy Spirit", em *Zondervan Pictorial Encyclopedia of the Bible*, red. Merrill Tenney (Grand Rapids: Zondervan, 1976), 3:186.
14. G. Walters, "Holy Spirit", em *The New Bible Dictionary*, red. J. D. Douglas (Grand Rapids: Eerdmans, 1962), p. 531.
15. Diversos teólogos evangélicos têm dito que o motivo pelo qual Deus não revelou o conceito da Trindade no Antigo Testamento ao grau em que o fez no Novo foi que o antigo Israel estava cercado por nações e cultos politeístas. A introdução do conceito teria permitido rápida assimilação da religião pagã politeísta na adoração de Israel ao único verdadeiro Deus.

6 | Métodos Literários Especiais

Símiles, Metáforas, Provérbios, Parábolas, e Alegorias

Completado o estudo deste capítulo, você deverá estar em condições de:

1. Descrever em uma ou em até três sentenças cada um dos termos literários mencionados no título do capítulo.
2. Identificar esses métodos literários quando ocorrerem no texto bíblico.
3. Descrever os princípios interpretativos necessários para determinar o sentido que o autor tinha em mente quando empregou qualquer um dos expedientes literários acima.

Definições e Comparações de Métodos Literários

Os capítulos 3, 4 e 5, geralmente rotulados de "hermenêutica geral", analisaram os métodos empregados na interpretação de todos os textos. Este capítulo e o seguinte concentram a atenção na hermenêutica especial, que estuda a interpretação de formas literárias especiais. Os bons comunicadores empregam uma variedade de dispositivos para ilustração, esclarecimento, ênfase, e manutenção do interesse do auditório. Os escritores e os oradores bíblicos também usam esses esquemas. Alguns de seus métodos comuns incluem símiles, metáforas, provérbios, parábolas, e alegorias.

E. D. Hirsch assemelha os vários tipos de expressão literária a jogos: para compreendê-los como convém, é necessário saber que jogo se está jogando. Também é necessário conhecer as suas regras. Surgem os desacordos na interpretação porque (1) há dúvida sobre que jogo está sendo jogado, ou (2) há confusão sobre as regras adequadas para jogá-lo.[1] Felizmente para o moderno estudioso da Bíblia, a análise literária cuidadosa tem produzido um corpo substancial de conhecimento concernente às características dessas formas literárias e dos princípios necessários para interpretá-las adequadamente.

Dois dos mais simples artifícios literários são o símile e a metáfora. *Símile* é uma comparação expressa: é típico o emprego das palavras *semelhante* ou *como* (e.g., "O reino dos céus é semelhante..."). A ênfase recai sobre algum ponto de similaridade entre duas idéias, grupos, ações etc. O sujeito e a coisa com a qual ele está sendo comparado são mantidos separados (isto é, não "o reino dos céus é...", e, sim, "o reino dos céus é semelhante...").²

Metáfora é uma comparação não expressa: ela não usa as palavras *semelhante* ou *como*. O sujeito e a coisa com a qual ele é comparado estão entrelaçados. Jesus usou metáforas quando disse: "Eu sou o pão da vida", e "Vós sois a luz do mundo". Embora o sujeito e sua comparação se identifiquem como um só, o autor não tenciona que suas palavras sejam tomadas em sentido literal: Cristo não é nenhum pedaço de pão, do mesmo modo que os cristãos não são emissores de fóton. Tanto nos símiles como nas metáforas, por causa de sua natureza compacta, o autor geralmente tem em mira acentuar um único ponto (e.g., que Cristo é a fonte de sustentação de nossa vida espiritual, ou que os cristãos devem ser exemplos de vida piedosa num mundo ímpio).

Podemos entender a *parábola* como um símile ampliado. A comparação vem expressa, e o sujeito e a coisa comparada, explicados mais plenamente, mantêm-se separados. Por semelhante modo pode-se entender a *alegoria* como uma metáfora ampliada: a comparação não vem expressa, e o sujeito e a coisa comparada acham-se entrelaçados.

Geralmente a parábola tem prosseguimento mantendo a história e sua aplicação distintas: em geral, a aplicação acompanha a história. As alegorias entremesclam a história e sua aplicação, de sorte que a alegoria traz em seu conteúdo sua própria interpretação. Damos a seguir exemplos de uma parábola e de uma alegoria para esclarecer esta distinção:

Parábola
(Isaías 5:1-7)

¹Agora cantarei ao meu amado,
o cântico do meu amado
a respeito da sua vinha.
O meu amado teve uma vinha
num outeiro fertilíssimo.
²Sachou-a, limpou-a das pedras

e a plantou de vides escolhidas;
edificou no meio dela uma torre,
e também um lagar.
Ele esperava que desse uvas boas,
mas deu uvas bravas.
Agora, pois, ó moradores de Jerusalém e homens de Judá,
julgai, vos peço, entre mim e a minha vinha.
⁴Que mais se podia fazer ainda à minha vinha,
que eu lhe não tenha feito?
e como, esperando eu que desse uvas boas
veio a produzir uvas bravas?
⁵Agora, pois, vos farei saber
o que pretendo fazer à minha vinha:
Tirarei a sua sebe,
para que a vinha sirva de pasto;
derribarei o seu muro,
para que seja pisada;
⁶torná-la-ei em deserto.
Não será podada nem sachada,
mas crescerão nela espinheiros e abrolhos;
às nuvens darei ordem
que não derramem chuva sobre ela.
⁷Porque a vinha do Senhor dos Exércitos
é a casa de Israel,
e os homens de Judá
são a planta dileta do Senhor;
este desejou que exercessem juízo,
e eis aí quebrantamento da lei;
justiça, e eis aí clamor.

Alegoria
(Salmo 80:8-16)

⁸Trouxeste uma videira do Egito,
expulsaste as nações e a plantaste.
⁹Dispuseste-lhe o terreno,
ela deitou profundas raízes e encheu a terra.
¹⁰Com a sombra dela os montes se cobriram,
e com os seus sarmentos os cedros de Deus.
¹¹Estendeu ela a sua ramagem até ao mar,
e os seus rebentos até ao rio.
¹²Por que lhe derrubaste as cercas,
de sorte que a vindimam todos os
que passam pelo caminho?
¹³o javali da selva a devasta,

e nela se repastam os animais que pululam no campo.
¹⁴Ó Deus dos Exércitos, volta-te, nós te rogamos,
olha do céu, e vê e visita esta vinha;
¹⁵protege o que a tua mão direita plantou,
o sarmento que para ti fortaleceste.
¹⁶Está queimada de fogo, está decepada.
Perecem pela repreensão do teu rosto.

Na parábola, a história se encontra nos versículos de um a seis e a aplicação no versículo sete. Na alegoria, a história e sua aplicação se acham entremescladas e prosseguem juntas.

Pode-se conceber o *provérbio* como uma parábola ou uma alegoria comprimida, às vezes possuindo as características de ambas. Em esquema, apresentamos abaixo a relação entre esses cinco dispositivos literários:

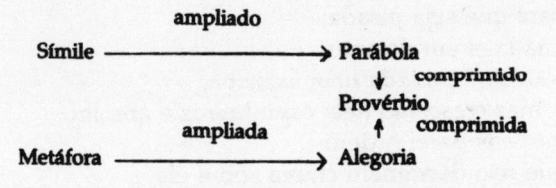

```
                    ampliado
    Símile ─────────────────→ Parábola
                                  ↓ comprimido
                              Provérbio
                    ampliada    ↑ comprimida
    Metáfora ───────────────→ Alegoria
```

Resumindo: Nos símiles e nas parábolas as comparações se acham expressas e separadas, enquanto nas metáforas e nas alegorias não se acham expressas, mas entremescladas. Numa parábola há separação consciente da história e sua aplicação, ao passo que na alegoria há entremescla das duas. Os provérbios podem ser considerados ou como parábolas condensadas ou como alegorias condensadas. As seções que vêm em seguida estudarão a natureza e interpretação de provérbios, parábolas e alegorias em maior extensão.

Provérbios

Walter C. Kaiser descreveu os provérbios como ditos "concisos, breves, com um pouco de 'estimulante', e uma pitadinha de sal também".[3] Muitos consideram os provérbios como bonitos "slogans" — bons motos para se pendurar na parede. Poucos reconhecem a excelente beleza e sabedoria que, muitas vezes, esses ditos contêm.

Um dos maiores problemas da religião é a falta de integração prática entre nossas crenças teológicas e nosso viver diário. É possível divorciar a vida religiosa das decisões práticas do dia-a-dia

Métodos Literários Especiais 125

Os provérbios podem proporcionar um importante antídoto, pois demonstram a verdadeira religião em termos específicos práticos e significativos.

O foco geral do livro de Provérbios é o aspecto moral da lei — regulamentos éticos para a vida diária redigidos em termos universalmente permanentes. Os focos específicos incluem sabedoria, moralidade, castidade, controle da língua, associações com outras pessoas, indolência e justiça. "Enquanto o Deuteronômio prega a Lei, os Livros de Sabedoria colocam-na em frases curtas, inteligíveis, que são ao mesmo tempo citáveis e facilmente assimiladas."[4]

Muitos dos provérbios se relacionam com a sabedoria, um conceito que proporciona o contexto para todos eles. Sabedoria, na Escritura, não é sinônimo de conhecimento. Ela começa com "o temor do Senhor". O temor do Senhor não é o medo normal, ou mesmo aquele tipo mais profundo conhecido como "reverência numinosa", mas é basicamente uma postura, uma atitude do coração que reconhece nosso relacionamento legítimo com o Deus-Criador. A vida de sabedoria e prudência procede desta postura conveniente, deste reconhecimento de nosso lugar legítimo diante de Deus. Dentro deste contexto, os provérbios já não permanecem como motos piedosos para serem pendurados na parede, mas se tornam meios intensamente práticos, significativos, de inspirar um andar íntimo com o Senhor.

De um ponto de vista interpretativo é bom reconhecer que devido à sua forma altamente condensada, os provérbios têm, em geral, um único ponto de comparação ou princípio de verdade para comunicar. Forçar um provérbio em todos os pontos incidentais resulta, facilmente, em ir além da intenção do autor. Por exemplo, quando o rei Lemuel diz que a mulher virtuosa é "como o navio mercante" (Provérbios 31:14), ele não tencionava que fosse esta uma declaração acerca da circunferência de sua cintura; ela é como o navio mercante porque vai a vários lugares em busca de alimento para as necessidades da família. Portanto, os provérbios (à semelhança dos símiles e das metáforas) geralmente comunicam um único pensamento ou comparação que o autor tinha em mente.

Parábolas

A palavra *parábola* provém do grego, *paraballo*, que significa "lançar ou colocar ao lado de". Assim, parábola é algo que se coloca ao lado de outra coisa para efeito de comparação. A parábola típica utiliza-se de um evento comum da vida natural para acentuar ou esclarecer uma importante verdade espiritual.

Jesus, o Mestre dos mestres, usou parábolas regularmente enquanto ensinava. A palavra grega "parábola" ocorre perto de cinqüenta vezes nos Evangelhos Sinópticos em conexão com seu ministério, dando a entender que as parábolas eram um de seus prediletos esquemas de ensino.

Finalidade das Parábolas

A Escritura apresenta duas finalidades básicas das parábolas. A primeira é revelar verdade aos crentes (Mateus 13:10-12; Marcos 4:11). As parábolas podem deixar uma impressão duradoura, amiúde muito mais efetivamente do que um discurso comum. Por exemplo, Cristo poderia ter dito: "Vocês devem ser persistentes em sua vida de oração", afirmativa a que provavelmente seus ouvintes dariam de ombros e que logo cairia no esquecimento. Em vez disso, ele lhes falou de uma viúva que continuou rogando a um juiz injusto que a ajudasse, até que o juiz, por fim, resolveu atender aos seus pedidos e fazê-la parar com suas queixas. Cristo ensinou, pois, a lição da parábola: se um juiz injusto, que pouco se importa com uma viúva, pode ser levado a agir mediante persistente rogativa, quanto mais um amorável Pai celestial responderá aos que são constantes em orar a ele. De igual modo, Cristo poderia ter dito: "Sejam humildes quando orarem." Em vez de fazê-lo, ele contou ao seu auditório algo a respeito do fariseu e do cobrador de impostos (publicano) que subiram ao templo para orar (Lucas 18:9-14). O ridículo do orgulho do fariseu e a autenticidade da humildade do publicano ensinam a lição de Cristo de modo simples mas inesquecível.

Na revelação de verdades, as parábolas são também utilizadas com eficácia nas Escrituras para confrontar os crentes com o erro em suas vidas. Se um crente possui padrões morais que ele sabe ser basicamente sadios, e no entanto deixa de viver à altura desses padrões em alguma área de sua vida, uma parábola pode ser um meio efetivo de ressaltar esta discrepância. Consideremos o caso de Davi e Natã conforme narrado em 2 Samuel 12:1-7. O contexto deste incidente é que Davi acabara de matar a Urias a fim de que pudesse casar-se com Bate-Seba, esposa deste. O texto diz:

> O Senhor enviou Natã a Davi. Chegando Natã a Davi, disse-lhe: havia numa cidade dois homens, um rico e outro pobre. Tinha o rico ovelhas e gado em grande número; mas o pobre não tinha coisa nenhuma, senão uma cordeirinha que comprara e criara, e que em sua

casa crescera, junto com seus filhos; comia do seu bocado e do seu copo bebia; dormia nos seus braços e a tinha como filha.

Vindo um viajante ao homem rico, não quis este tomar das suas ovelhas e do gado para dar de comer ao viajante que viera a ele; mas tomou a cordeirinha do homem pobre, e a preparou para o homem que lhe havia chegado.

Então o furor de Davi se acendeu sobremaneira contra aquele homem, e disse a Natã: Tão certo como vive o Senhor, o homem que fez isso deve ser morto. Ele pela cordeirinha restituirá quatro vezes, porque fez tal coisa, e porque não se compadeceu.

Então disse Natã a Davi: Tu és o homem.

Davi, homem de princípios morais, localizou facilmente o grande erro cometido contra o pobre da história; quando a parábola foi aplicada ao seu próprio comportamento, ele se arrependeu de pronto de seu erro.

Além de esclarecer e acentuar verdades espirituais para os crentes, as parábolas têm um segundo objetivo — que parece diametralmente oposto ao primeiro. A parábola oculta a verdade daqueles que endurecem o coração contra ela (Mateus 13:10-15; Marcos 4:11-12; Lucas 8:9-10). Pode parecer difícil harmonizar este objetivo com nossa concepção de Deus como um Ser amoroso que proclama a verdade em vez de ocultá-la.

Talvez a resposta a esta aparente dificuldade se encontre nos textos bíblicos discutidos em conexão com fatores espirituais no processo perceptivo (capítulo 1). Pode ser que, quando o homem resiste à verdade e se rende ao pecado, ele se capacita cada vez menos para entender verdades espirituais. Assim, as mesmas parábolas que traziam discernimento aos crentes fiéis não tinham significado algum para os que endureciam o coração contra a verdade. Tal entendimento dos versículos acima mencionados é compatível com uma cuidadosa exegese deles, e afasta de Deus qualquer responsabilidade pela cegueira espiritual dos fariseus.

Princípio para a Interpretação de Parábolas

Análise Histórico-Cultural e Contextual

O mesmo tipo de análise usado para interpretar passagens narrativas e expositivas deve usar-se na interpretação de parábolas.

Visto que as parábolas eram usadas para esclarecer ou acentuar uma verdade que estava sendo discutida numa situação histórica específica, um exame dos tópicos sob consideração no contexto imediato de uma passagem amiúde jorra valiosa luz sobre o significado.

Por exemplo, a parábola dos trabalhadores na vinha (Mateus 20:1-16) tem recebido diversas interpretações, muitas das quais pouca ou nenhuma relação têm com o contexto em que foram proferidas. Imediatamente antes de Jesus contar esta parábola, o jovem rico havia-se dirigido a ele e perguntado o que devia fazer para herdar a vida eterna. Jesus percebeu que o maior obstáculo deste jovem a um total comprometimento com Deus eram as suas riquezas, e disse-lhe que doasse o que possuía e se tornasse discípulo. O jovem retirou-se triste, porque não desejava separar-se de suas riquezas.

Pedro perguntou ao Senhor: "Eis que nós tudo deixamos e te seguimos: que será, pois, de nós?" Jesus assegurou a Pedro que eles seriam amplamente recompensados por seu serviço, mas não parou aí; contou, então, a parábola dos trabalhadores. Neste contexto pode-se ver que a história de Jesus era uma suave censura a Pedro, censura da justiça-própria que diz: "Veja quanto fiz (não relutei em abrir mão de *tudo* e seguir-te como este jovem). Certamente eu deveria obter uma grande recompensa por meu grande sacrifício." Jesus estava censurando a Pedro suavemente por possuir a atitude de mercenário: "Que é que eu ganho com isto?" em vez de reconhecer que o motivo para o serviço no reino deve ser o amor.[5] As interpretações de uma parábola que deixam de considerar a ocasião histórica em que ela foi apresentada podem oferecer hipóteses interessantes, mas é quase certo que não declaram o objetivo que Jesus tinha em mira.

Às vezes a introdução da parábola declara explicitamente o significado pretendido, ou por Jesus, ou pelo autor bíblico. Outras vezes o significado pretendido é comunicado através da aplicação (veja Mateus 15:13; 18:21, 35; 20:1-1 22:14; 25:13; Lucas 12:15, 21; 15:7, 10; 18:1, 9; 19:11, que servem de exemplos). Doutras vezes, a colocação das parábolas dentro da cronologia da vida de Jesus aumenta ainda mais o seu significado. A finalidade visada pela parábola dos lavradores maus (Lucas 20:9-18) é positivamente óbvia, mas por certo ela deve ter possuído maior pungência quando Jesus a narrou pouquinho antes de sua crucificação.

Além das pistas históricas e contextuais, o conhecimento de detalhes culturais jorra importante luz sobre o significado de uma parábola. Por exemplo, colheitas, casamentos e vinho eram símbolos judaicos do fim dos tempos. A figueira era símbolo do povo de Deus. As candeias, para serem apagadas, eram postas debaixo de cestos; acender uma candeia e colocá-la debaixo do alqueire significava acendê-la e logo em seguida apagá-la.[6]

Análise Léxico-Sintática

As mesmas regras de análise léxico-sintática que se aplicam a outras formas de prosa devem, também, aplicar-se às parábolas. Os mesmos instrumentos mencionados no capítulo 4 — Léxicos, Concordâncias, Gramáticas, e Comentários Exegéticos — todos eles podem ser usados com proveito na exposição de parábolas.

Análise Teológica

São três as principais questões teológicas às quais um expositor deve responder antes de estar apto a interpretar a maioria das parábolas de Jesus. Em primeiro lugar, com base na evidência disponível, definir as expressões "reino do céu" e "reino de Deus", e então decidir se essas expressões são sinônimas ou não. Visto que grande porcentagem dos ensinos de Jesus, incluindo suas parábolas, refere-se a esses reinos, é muito importante identificá-los adequadamente.

Os que crêem que se deve distinguir entre esses dois reinos, apresentam várias propostas concernentes às suas identidades. Uma opinião comum é que o reino de Deus se refere a todos os seres inteligentes que de livre vontade se submetem a ele, assim no céu como na terra, ao passo que o reino do céu inclui todos os seres humanos que professam lealdade a Deus, quer essa profissão seja autêntica, quer espúria.

Os que interpretam esses dois nomes como sinônimos, em geral explicam o uso de diferentes frases da seguinte forma: Mateus, escrevendo antes de tudo para os judeus, preferiu "reino do céu" como expressão respeitosa equivalente a "reino de Deus" em virtude da tendência judaica de evitar o uso direto do nome de Deus. Marcos e Lucas, escrevendo a gentios, usaram a expressão "reino de Deus" porque ela comunica melhor a idéia aos seus auditórios.

Diversas passagens paralelas nos Sinópticos usam a expressão "reino de Deus" quando se referem a um incidente especial e "reino do céu" quando se referem a um incidente muito semelhante mencionado num dos outros Evangelhos. A lista abaixo dá exemplos.

Motivo para usar Parábolas	Mateus 13:10-15; cf. Marcos 4:10-12 e Lucas 8:9-10.
Grão de mostarda	Mateus 13:31-32; cf. Marcos 4:30-32 e Lucas 13:18-19.
Fermento	Mateus 13:33; cf. Lucas 13:20-21.
As Bem-aventuranças	Mateus 5:3; cf. Lucas 6:20.

Se esses são realmente dois reinos distintos, então Jesus teria atribuído significados inteiramente diversos a parábolas muitíssimo semelhantes contadas em ocasiões distintas. Talvez ele o tenha feito, mas parece muito improvável, particularmente no primeiro conjunto de comparações.

O paralelismo de Mateus 19:23-24 também sustenta a hipótese de que Jesus pretendia que essas duas expressões fossem entendidas como o mesmo reino. Essa passagem diz:

> Em verdade vos digo que um rico dificilmente entrará no *reino dos céus*. E ainda vos digo que é mais fácil passar um camelo pelo fundo de uma agulha, do que entrar um rico no *reino de Deus*.

Por esses e por outros motivos a maioria dos expositores evangélicos tem entendido essas expressões como sinônimas.

Os eruditos evangélicos concordam quase unanimemente com a segunda questão que envolve o reino (e a interpretação das parábolas). Aqui, em alguns sentidos o reino já veio; em outros sentidos, está continuando, e em alguns sentidos não virá até à consumação escatológica da presente era.

Cristo ensinou que em certo sentido o reino já estava presente durante sua estada na terra (Mateus 12:28 e paralelos; Lucas 17:20-21), que nele se poderia entrar mediante o novo nascimento (João 3:3), e que nele já estavam entrando publicanos e meretrizes porque se estavam arrependendo e crendo (Mateus 21:31).

As parábolas também falam do ministério contínuo do reino. Fala de semeadura e ceifa, de pequenos grãos que crescem e produzem árvores frondosas, de uma grande rede lançada ao mar que não será recolhida até o fim dos séculos e de trigo e joio crescendo juntos. Falam dos comprometimentos sábios e dos loucos e do uso industrioso versus indolente das capacidades.

Num terceiro sentido, muitas parábolas aguardam seu cumprimento final para quando o governo do reino de Deus será plenamente reconhecido, não só nos corações dos crentes, ma também no triunfo completo de Deus sobre o mal. Deus já não se aproximará do homem na forma de servo, mas como o Governante, o Juiz supremo, o Divisor final.

O terceiro problema teológico que exerce influência sobre a interpretação de parábolas relaciona-se com a *teoria do reino adiado*. Segundo esta teoria, no princípio Jesus tencionava instituir um reino terrenal, e que seus primeiros ensinamentos (e.g., Mateus 1—12) eram instruções concernentes a este reino. De acordo com a teoria do reino adiado, foi somente quando seu ministério já havia percorrido metade do caminho que Jesus reconheceu que seria rejeitado e finalmente crucificado.

Se a teoria do reino adiado for correta, pode-se argumentar que as parábolas que Jesus proferiu antes de perceber que seria rejeitado tinham em mira servir de regras governamentais do seu reino terrenal. Visto que este reino terrenal foi adiado até à futura era milenial, as instruções e parábolas que ele proferiu antes de Mateus 13 não deveriam ser consideradas aplicáveis aos crentes da era da igreja.

O ponto de vista que contrasta com a teoria do reino adiado é que Jesus não tinha ilusões quanto ao estabelecimento de um reino terrenal. A profecia de Simeão (Lucas 2:34-35) e a profecia messiânica de Isaías (Isaías 53), da qual Jesus por certo tinha conhecimento, pouca dúvida teria deixado na mente dele de que seu ministério terreno terminaria em sua morte expiatória e não no estabelecimento de um reino na terra (cf. João 12:27). Os que crêem que Jesus passou todo o seu ministério ciente de que seria crucificado, geralmente acreditam que todos os seus ensinos e parábolas são dirigidos aos crentes do Novo Testamento, e não aguardam uma aplicação futura no reino milenial. É óbvia, pois, no processo de interpretar as primeiras parábolas de Jesus, a necessidade de tomar-se uma decisão sobre a teoria do reino adiado.

Há outro aspecto importante da análise teológica na interpretação das parábolas. As parábolas podem servir ao importante propósito de fixar doutrina em nossa memória de um modo particularmente admirável. Contudo, os expositores ortodoxos unanimemente concordam em que nenhuma doutrina deve basear-se numa parábola como sua primária ou única fonte. A base lógica deste princípio é que passagens mais claras das Escrituras são sempre usadas para esclarecer passagens mais obscuras, e nunca vice-versa. As parábolas são, por natureza, mais obscuras do que as passagens doutrinais. Por conseguinte, a doutrina deveria desenvolver-se a partir de passagens bíblicas em prosa clara, e as parábolas devem ser empregadas para ampliar ou acentuar essa doutrina.

A história da Igreja mostra as heresias dos que deixaram de observar esta cautela. Basta um exemplo para mostrar com que facilidade isto pode ocorrer. Faustus Socinus argumentou, tomando por base a parábola do credor incompassivo (Mateus 18:23-35), que como o rei perdoou ao seu servo meramente em virtude de seu pedido, assim, do mesmo modo Deus, sem exigir sacrifício ou intercessor, perdoa aos pecadores na base de suas orações. Socinus torna, pois, esta parábola como base para doutrina em vez de interpretá-la à luz da doutrina. Trench nota uma segunda cautela — importante na interpretação de toda passagem bíblica, incluindo as parábolas — a saber, que "não devemos esperar, em todos os lugares, que todo o círculo da verdade cristã seja plenamente declarado, e que nenhuma conclusão se pode tirar de uma passagem, pelo fato de nela estar ausente uma doutrina claramente enunciada em outras".[7]

Análise Literária

Através da história, uma pergunta central concernente às parábolas tem sido: "Quanto é significativa?" Crisóstomo e Teofilacto argumentaram que há tão só um ponto central numa parábola; todo o restante é cortina ou ornamento. Agostinho, embora concordando com eles, na prática ampliou suas interpretações até aos mínimos detalhes. Em tempos mais recentes, Cocejus e seus seguidores afirmaram com todo o vigor que *cada* parte de uma parábola é significativa. Por conseguinte, através da história ambos os lados da questão tiveram seus eruditos.

Felizmente para nós, nas duas primeiras ocasiões em que Jesus falou por parábolas, ele interpretou o que significavam (O Semeador: Mateus 13:1-23; O Trigo e o Joio: Mateus 13:24-30, 36-43). Suas interpretações parecem situar-se a meio caminho entre as perspectivas extremas mencionadas acima: na própria análise de Jesus é possível discernir tanto uma idéia central, focal, como uma ênfase significativa sobre os detalhes *no que se relacionam com a idéia focal*. A análise que Jesus faz dos detalhes contrasta com a prática dos que atribuem significado aos pormenores de tal maneira que estes ensinam uma lição adicional que não tem relação com o ponto central da parábola.

Por exemplo, o conceito central da parábola do Semeador é que a acolhida da Palavra de Deus terá variação de acordo com as pessoas. Os detalhes mostram estas: (1) a pessoa que não entende; (2) a pessoa entusiasta que logo perde a coragem; (3) a pessoa cuja capacidade de reagir é sufocada pelos cuidados e riquezas do mundo, e (4) a pessoa que ouve, aceita, e se torna membro produtivo do reino de Deus. O ponto focal da parábola do joio é que dentro do reino existirão lado a lado, na presente era, homens regenerados e imitadores, mas o juízo final de Deus é certo. Os detalhes dão informação adicional acerca da origem e natureza desses imitadores e do relacionamento do crente com eles.

De modo que, se pudermos extrair quaisquer inferências das interpretações que Cristo deu às suas parábolas, serão que (1) há um ponto central, focal, de ensino nas parábolas de Cristo, e (2) os detalhes têm significado à medida que se relacionam com esse ensino central. Não se deve dar aos detalhes significado independente do ensino central da parábola.

Os intérpretes têm assemelhado o ensino focal de uma parábola ao centro de uma roda, e seus detalhes aos raios. Quando se encontra a interpretação correta, o resultado será simetria e fechamento.

Diz Trench em sua obra clássica sobre parábolas:

> Uma interpretação, além de estar, dessa forma, em harmonia com seu contexto, não deve, tampouco, fazer uso de quaisquer meios violentos; até porque, como em geral, a interpretação deve ser fácil — se nem sempre fácil de ser descoberta, não obstante tendo sido descoberta, vê-se que é fácil. Porque aqui ocorre como nas leis da Natureza; pode-se necessitar de gênio para descobrir a lei, mas uma vez descoberta, ela jorra luz de volta sobre si própria, e se recomenda a todos. Aqui também, visto que a prova da lei é que explica a *todos* os fenômenos, assim é evidência tolerável que tenhamos encontrado a interpretação correta de uma parábola, se ela não deixar inexplicada nenhuma das principais circunstâncias.[8]

Trench e vários outros comentaristas sugerem que a interpretação correta de uma parábola recomendar-se-á a si própria porque ela se ajusta fácil e naturalmente, e porque explica todos os principais detalhes. As interpretações falsas traem a si próprias por não se harmonizarem com alguns pormenores importantes da parábola ou de seu contexto.

Alegorias

Assim como uma parábola é um símile ampliado, de igual modo a alegoria é uma metáfora ampliada. A alegoria difere da parábola, conforme observamos antes, em que esta tipicamente mantém a história distinta de sua interpretação ou aplicação, ao passo que aquela entrelaça a história e seu significado.

Em se tratando de interpretação, parábolas e alegorias diferem em outro ponto principal: a parábola possui um foco, um núcleo, e os detalhes são significativos apenas enquanto se relacionam com esse núcleo; a alegoria geralmente tem diversos pontos de comparação, não necessariamente concentrados ao redor de um núcleo. Por exemplo, na parábola do grão de mostarda (Mateus 13:31-32), o objetivo central é mostrar a divulgação do evangelho a partir de um minúsculo grupo de cristãos (o grão de mostarda) até chegar a um corpo de amplitude mundial de crentes (a árvore crescida em sua plenitude). A relação entre o grão, a árvore, o campo, o ninho, e as aves é casual; e esses detalhes adquirem significado só em relação com a árvore em crescimento. Contudo, a alegoria da armadura do cristão (Efésios 6), possui diversos pontos de comparação. Cada peça da armadura do cristão é significativa, e cada uma é necessária para que o cristão esteja totalmente armado.

Princípios para a Interpretação de Alegorias

1. Usar as análises histórico-cultural, contextual, léxico-sintática, e teológica, como se faz com outros tipos de prosa.
2. Determinar as mensagens *múltiplas* de comparação que o autor tinha em mente, mediante o estudo do contexto e dos pontos que ele acentuou.

Análise Literária da Alegoria

Na Bíblia toda encontramos muitas alegorias. A alegoria de Cristo como a Videira Verdadeira (João 15:1-17) é aqui analisada para mostrar a relação dos diversos pontos de comparação com o significado da passagem. Há três focos nesta alegoria. O primeiro é a videira como símbolo de Cristo. A passagem inteira acentua a importância da videira: os pronomes *eu, mim, meu, minhas, me* ocorrem trinta e duas vezes nos dezessete versículos, sem contar os pronomes ocultos; e a palavra *videira*, três vezes, sublinhando a centralidade de Cristo na produção de frutos espirituais do cristão. O versículo 4 resume este foco: "Como não pode o ramo produzir fruto de si mesmo, se não permanecer na videira; assim nem vós o podeis dar, se não permanecerdes em mim."

O segundo foco da alegoria é o Pai, simbolizado como o agricultor. Nesta ilustração, o Pai está ativamente preocupado com produção de fruto. Ele poda alguns ramos para que sejam mais frutíferos, e elimina os que nada produzem.

O terceiro foco da alegoria está nos ramos, os próprios discípulos. "Permanecer" fala em sentido metafórico do relacionamento, e o tempo presente do verbo fala do relacionamento *contínuo* como uma obrigação de produzir fruto. A obediência às ordens de Deus é parte necessária do relacionamento, e a companhia amorosa dos crentes é parte integrante dessa obediência. A alegoria retrata a necessidade do relacionamento contínuo, vivo, com o Senhor Jesus, acoplado com obediência à sua Palavra, como a essência do discipulado e da frutificação.

O Problema da Alegorização de Paulo

Uma passagem que tem causado muita perplexidade aos evangélicos é a alegorização de Paulo no capítulo 4 de Gálatas. Teólogos liberais têm sido rápidos em agarrar-se a esta passagem como exemplo de que Paulo adotou métodos hermenêuticos ilegítimos de seu tempo. Com freqüência os evangélicos têm-se recolhido em embaraçoso silêncio, pois parece que nesses versículos Paulo utilizou-se de alegorização ilegítima. Se, deveras, Paulo serviu-se de métodos ilegítimos, certamente isto teria significativas implicações para nossa doutrina da inspiração.

Com relação a esta passagem diversos eruditos evangélicos têm tomado uma posição semelhante à de G. W. Meyer, que diz:

> Na conclusão desta parte teorética de sua epístola, Paulo acrescenta uma bastante peculiar ... dissertação — um argumento alegórico-rabínico erudito derivado da própria lei — calculada para aniquilar a influência dos pseudo-apóstolos com suas próprias armas, e desarraigá-los em seu próprio terreno.[9]

Meyer considera, portanto, que Paulo usou a alegorização não para dar-lhe legitimidade como método de exegese, mas como um *argumentum ad hominem* contra seus adversários que estavam usando esses mesmos métodos para transformar o uso correto da lei num sistema legalista.

Alan Cole parafraseia a passagem da seguinte forma:

> Digam-me, vocês não ouvem o que diz a lei — vocês que desejam estar sob a lei como sistema? A Escritura diz que Abraão teve dois filhos, um da esposa escrava e o outro da esposa livre. O filho da esposa escrava nasceu

de forma perfeitamente natural, mas o filho da esposa livre nasceu em cumprimento da promessa de Deus. Tudo isto se pode ver como um quadro simbólico [numa alegoria] porque estas mulheres poderiam representar duas alianças. A primeira (i.e., a esposa escrava) poderia significar a aliança feita no monte Sinai; todos os seus filhos (i.e., os que estão sob essa aliança), se encontram em escravidão espiritual. Essa é Hagar para vocês. Assim, "Hagar", a personagem bíblica poderia também significar o monte Sinai na Arábia. O Sinai está na mesma categoria da Jerusalém que conhecemos, porque certamente ela está em escravidão, juntamente com seus "filhos". Mas a Jerusalém celestial representa a esposa livre — e ela é nossa "mãe". Porque a Escritura diz:

Alegre-se, você mulher que não dá à luz;
Irrompa num grito de triunfo, você que não está de parto;
Porque a esposa abandonada tem mais filhos
Do que a esposa que tem marido.

Ora, vocês, meus companheiros cristãos, são filhos nascidos em cumprimento da promessa de Deus, como o foi Isaque. Mas, exatamente como naqueles dias o filho nascido no curso da natureza costumava provocar o filho nascido de modo sobrenatural, assim é hoje. Mas o que diz a esse respeito a Escritura? Expulsa a esposa escrava e seu filho; porque o filho da esposa escrava certamente não vai tomar parte na herança com o filho da esposa livre. E assim meu resumo é este: Nós, cristãos, não somos filhos da esposa escrava, mas da esposa livre. Cristo deu-nos nossa liberdade; agüentem firmes, e não se deixem atrelar de novo ao jugo que significa escravidão.[10]

De imediato Paulo diferençou seu método daquele do alegorista típico ao reconhecer a validade gramático-histórica dos eventos. Nos versículos 21-23 ele diz que Abraão teve dois filhos, um de uma mulher escrava e o outro de uma mulher livre.
Paulo prossegue dizendo que essas coisas poderiam todas ser alegorizadas, e então a elabora uma série de correlações:

Métodos Literários Especiais 137

corresponde a

a
1. Hagar, serva — Antiga Aliança → A presente Jerusalém
2. Sara, mulher livre — Nova Aliança → Jerusalém de cima

b
1. Ismael, filho da carne → Os escravizados à lei
2. Isaque, filho da promessa → Nós, irmãos cristãos (v. 28)

c
1. Ismael perseguia a Isaque → Assim agora os legalistas perseguem os cristãos
2. A Escritura diz: Expulsa a serva e o filho → Eu digo (vv. 31; 5:1): Não se submetam a um jugo de escravidão (legalismo)[11]

Lotto Schmoller observa:

> Paulo com certeza alegoriza aqui, porque ele próprio o diz. Mas com o próprio fato de ele mesmo dizê-lo, desaparece a gravidade da dificuldade hermenêutica. Ele *pretende*, portanto, dar uma alegoria e não uma exposição; ele não procede como exegeta, e não tenciona dizer (segundo a maneira de alegorizar dos exegetas) que apenas o que ele agora diz é o verdadeiro sentido da narrativa.[12]

Resumindo: os seguintes fatores dão a entender que Paulo está usando a alegorização para confundir seus adversários hipócritas:

1. Paulo havia apresentado uma série de argumentos muito fortes contra os judaizantes, argumentos que sozinhos comprovavam suas alegações. Este argumento final não era necessário; ele aí está mais como exemplo de como usar as próprias armas dos pseudo-apóstolos contra eles.

2. Se Paulo considerava a alegorização como método legítimo, então parece quase certo que ele o teria usado em algumas de suas outras epístolas, o que ele não fez.

3. Paulo diferiu do alegorista típico ao admitir a validade histórica do texto, em vez de dizer que as palavras do texto eram

apenas sombra do significado mais profundo (e mais verdadeiro). Ele admitiu que esses eventos aconteceram historicamente e então continuou, dizendo que eles podem ser alegorizados. Ele não disse: "isto é o que o texto significa", nem alegou que estava fazendo uma exposição do texto.

Resumo do Capítulo

Os seguintes passos incorporam hermenêutica geral e especial:
1. Fazer uma análise histórico-cultural e contextual.
2. Fazer uma análise léxico-sintática.
3. Fazer uma análise teológica.
4. Apontar a forma literária e aplicar uma análise apropriada.
   a. Procurar referências explícitas que indicam a intenção do autor com referência ao método que estava usando.
   b. Se o texto não aponta explicitamente a forma literária da passagem, estude as características da passagem dedutivamente para averiguar a sua forma.
   c. Aplicar os princípios dos artifícios literários com cuidado, mas não rigidamente.

(1) Metáforas, símiles, e provérbios — procurar o único ponto de comparação.
(2) Parábolas — determinar o ensino focal e os detalhes significativos que o cercam.
(3) Alegorias — determinar os pontos múltiplos de comparação que o autor tinha em mira.
5. Formule sua compreensão do significado da passagem.
6. Confira para ver se o significado que você declarou "ajusta-se" ao contexto imediato e ao contexto total do livro. Se não, reciclar o processo.
7. Compare seu trabalho com o de outros.

Exercícios

PC35: Alegorias e Alegorização
Desde o tempo de Cristo até ao de Lutero, um importante instrumento hermenêutico foi a alegorização. Hoje, a maioria dos eruditos evangélicos rejeita-a como um artifício hermenêutico ilegítimo.
   a. Definir alegorização e mostrar por que este método de interpretar a Escritura, há tanto tempo adotado, é agora rejeitado.
   b. Contrastar o gênero da alegoria com o método de alegorizar

e mostrar por que um é considerado legítimo e o outro ilegítimo.

PC36: Usar seu conhecimento de métodos literários para identificar e interpretar o significado de João 10:1-18. (A fim de adquirir experiência, não consulte notas ou comentários de estudo bíblico de referência senão depois que tiver completado sua interpretação.)

PC37: Romanos 13:1-5 ordena aos cristãos que sejam obedientes às suas autoridades governamentais. Esta ordem tem causado conflitos para os cristãos que têm vivido sob governos como o da Alemanha Nazista e em alguns regimes totalitários de nossos tempos. Qual é o significado deste texto, e outras passagens pertinentes, para os cristãos que enfrentam um regime que lhes ordena atuar contrariamente às suas consciências?

PC38: Alguns professores da Bíblia crêem que os cristãos não deveriam sofrer enfermidade e doença, baseando seus argumentos em 3 João 2. Analise esta passagem e diga se você acha ou não que ela tenciona ensinar que os cristãos não deveriam ficar doentes.

PC39: A parábola do trigo e do joio (Mateus 13:24-30) parece ensinar que o erro dentro da igreja não deve ser julgado, pelo receio de arrancar "também com ele o trigo". Como você conciliaria este ponto com o evidente ensino de Mateus 7:15-20, Tito 3:10 e outros versículos que parecem ensinar que a igreja deve julgar o mal e o erro em seu meio?

PC40: Na parábola do credor incompassivo (Mateus 18:23-35), seu senhor perdoou ao primeiro servo uma grande quantia de dinheiro, e a seguir este se recusou a perdoar ao seu conservo uma pequena quantia. Um psiquiatra, conselheiro e educador cristão, declarou que esta parábola mostra que é possível ser perdoado (por Deus) sem ser perdoador (para com seu próximo). Você concorda com ele? Por que sim, ou por que não?

PC41: Muitos cristãos entendem a história de Lázaro e o rico (Lucas 16:19-31) como um acontecimento real e derivam dele uma teologia da vida além. Alguns eruditos evangélicos relutam em fazer isto por motivos hermenêuticos. Quais seriam os motivos desses eruditos?

PC42: No Antigo Testamento há, pelo menos, duas passagens conhecidas que parecem contradizer o que cremos acerca da justiça de Deus. Uma passagem refere-se a Deus endurecendo o coração de Faraó (Êxodo 4:21) e depois castigando-o por ter um coração duro. A segunda é quando ele incitou Davi a levantar o censo de

Israel (2 Samuel 24:1) e depois castigou a Davi por fazê-lo. Como você explica essas passagens?

PC43: Quase todo conselheiro cristão tem alguns clientes que o procuram crendo que cometeram o pecado imperdoável (Mateus 12:31-32 e paralelos). Através da história este pecado tem sido identificado de várias maneira. Irineu viu-o como uma rejeição do evangelho; Atanásio equiparou-o à negação de Cristo. Orígenes disse que se tratava de um pecado mortal cometido depois do batismo, e Agostinho apontou-o como persistência no pecado até à morte. Talvez a noção mais comum sustentada pelos aconselhados é que este pecado é o de inadvertidamente ultrajar a Jesus e suas obras. Use suas técnicas hermenêuticas para determinar este pecado.

---

1. E. D. Hirsch, *Validity in Interpretation* (New Haven: Yale University Press, 1967), p. 70.
2. Muitos dos pontos discutidos neste capítulo foram tirados do Dr. Walter C. Kaiser, Jr., catedrático de Antigo Testamento na Trinity Evangelical Divinity School, primavera de 1974.
3. W. C. Kaiser, Jr., *The Old Testament in Contemporary Preaching* (Grand Rapids: Baker, 1973), p. 119. Esta seção sobre Provérbios é tomada em grande parte de sua discussão, pp. 118-120.
4. Ibid., p. 119.
5. R. C. Trench, *Notes on the Parables of Our Lord* (reimpressão, Grand Rapids: Baker, 1948), pp. 6166.
6. Ramm, *Protestant Biblical Interpretation*, p. 282.
7. Trench, *Notes on the Parables of Our Lord* (reimpressão, Grand Rapids: Baker, 1948), p. 41.
8. Ibid., pp. 17.
9. G. W. Meyer, *Critical Commentary on Galatians*, mencionado em M. S. Terry, *Biblical Hermeneutics* (Grand Rapids: Zondervan, 1974), p. 321.
10. Alan Cole, *The Epistle of Paul to the Galatians, Tyndale New Testament Commentaries*, red. R. V. G. Tasker (Grand Rapids: Eerdmans, 1965), pp. 129-130.
11. M. S. Terry, *Biblical Hermeneutics*, p. 322.
12. Citado em Terry, *Biblical Hermeneutics*, p. 323.

7 Métodos Literários Especiais

Tipos, Profecia, e Literatura Apocalíptica

Depois de completar este capítulo, você estará em condições de:
1. Definir os termos *tipo* e *antítipo*.
2. Distinguir tipologia de simbolismo e alegoria.
3. Apontar três características distintivas de um tipo.
4. Nomear cinco classes de tipos mencionados na Bíblia.
5. Interpretar corretamente o significado de alusões tipológicas das Escrituras.
6. Nomear três tipos de profecia bíblica.
7. Identificar sete diferenças gerais entre profecia e literatura apocalíptica.
8. Identificar seus problemas controversos na interpretação de profecias.
9. Definir as expressões *predição progressiva, cumprimento evolucional,* e *contração profética.*
10. Definir os termos *pré-milenismo, pós-milenismo,* e *amilenismo.*

Tipos

A palavra grega *tupos*, da qual se deriva a palavra *tipo*, tem uma variedade de denotações no Novo Testamento. As idéias básicas expressas por *tupos* e seus sinônimos são os conceitos de parecença, semelhança e similaridade. A seguinte definição de tipo desenvolveu-se de um estudo indutivo do uso bíblico deste conceito: *tipo é uma relação representativa preordenada que certas pessoas, eventos e instituições têm com pessoas, eventos e instituições correspondentes, que ocorrem numa época posterior na história da salvação.* Provavelmente a maioria dos teólogos evangélicos concordaria com esta definição de tipologia bíblica.

Um exemplo notório de um tipo bíblico encontra-se em João 3:14-15, onde Jesus diz: "E do modo por que Moisés levantou a serpente no deserto, assim importa que o Filho do homem seja levantado, para que todo o que nele crê tenha a vida eterna." Jesus ressaltou duas semelhanças: (1) o levantamento da serpente e dele próprio, e (2) vida para os que responderam ao objeto do levantamento.

A tipologia baseia-se na suposição de que há um padrão na obra de Deus através da história da salvação. Deus prefigurou sua obra redentora no Antigo Testamento, e cumpriu-a no Novo; o Antigo Testamento contém sombras de coisas que seriam reveladas de modo mais pleno no Novo. As leis cerimoniais do Antigo Testamento, por exemplo, demonstravam aos crentes daquela época a necessidade de expiação por seus pecados: essas cerimônias apontavam para o futuro, para a expiação perfeita a realizar-se em Cristo. A prefiguração é chamada *tipo;* o cumprimento chama-se *antítipo.*[1]

Os tipos assemelham-se aos símbolos e podem até ser considerados uma espécie particular de símbolo. Contudo, existem duas características que os diferenciam. Primeira, os símbolos servem de sinais de algo que representam, sem necessariamente ser semelhantes em qualquer respeito, ao passo que os tipos se assemelham de uma ou mais formas às coisas que prefiguram. Por exemplo, o pão e o vinho são símbolos do corpo e sangue de Cristo; os sete candeeiros de ouro (Apocalipse 2:1) são símbolos das igrejas da Ásia. Não há similaridade necessária entre o símbolo e o objeto que ele simboliza, como há entre o tipo e seu antítipo. Segunda, os tipos apontam para o futuro, ao passo que os símbolos podem não fazê-lo. Um tipo sempre precede historicamente o seu antítipo, ao passo que um símbolo pode preceder, coexistir, ou vir depois daquilo que ele simboliza.

A tipologia deve, também, distinguir-se do alegorismo. A tipologia é a busca de vínculos entre os eventos históricos, pessoas, ou coisas dentro da história da salvação; o alegorismo é a busca de significados secundários e ocultos que sublinham o significado primário e óbvio da narrativa histórica. A tipologia repousa sobre uma compreensão objetiva da narrativa histórica, ao passo que a alegorização introduz na narrativa significados objetivos.

Por exemplo, na alusão tipológica de João 3:14-15, vemos a existência de uma serpente real e um Cristo real, uma como tipo, o outro como antítipo. As circunstâncias históricas que cercam a ambos apresentam a chave para entendermos a relação que existe entre eles. Em contraste, no alegorismo o intérprete atribui significado a um relato que, comumente, dele não se deduziria uma compreensão direta. Por exemplo, uma alegorização do relato do massacre de crianças ordenado por Herodes, em Belém, declara que "o fato de que somente os meninos de dois anos para baixo seriam assassinados enquanto os de três anos, presume-se, tenham escapado, visa a ensinar-nos que aqueles que sustentam a fé trinitária serão salvos ao passo que os binitários e os unitários indiscutivelmente perecerão".[2]

Características do Tipo

Há três características básicas de tipos que podemos identificar.[3] A primeira é que "deve haver algum ponto notável de semelhança ou analogia" entre o tipo e seu antítipo. Isto não significa que não haja, também, muitos pontos de dessemelhança: Adão é um tipo de Cristo, não obstante a Bíblia fala mais dos pontos de dessemelhança entre eles do que dos de semelhança (veja Romanos 5:14-19).

Segunda, "deve haver evidência de que a coisa tipificada representa o tipo que Deus indicou". Há certa discordância entre os estudiosos acerca de quão explícita deve ser a declaração divina. A famosa sentença do bispo Marsh com referência a tipos dizia que nada pode ser considerado tipo a menos que se demonstre de modo explícito figurar na Escritura. Na outra extremidade do espectro estão os que classificam como tipos qualquer coisa que apresente, mais tarde, semelhança com algo. Um ponto de vista moderado, que conta com o apoio da maioria dos estudiosos do assunto (e.g., Terry, Berkhof, Mickelsen, Eichrodt, Ramm, e outros), diz que para a semelhança ser tipo deve haver alguma evidência de afirmação divina da correspondência entre tipo e antítipo, embora tal afirmação não precise ser formalmente declarada.

A terceira característica de um tipo é que ele "deve prefigurar alguma coisa futura". Os antítipos no Novo Testamento apresentam verdade mais plenamente cumprida do que no Antigo. A correspondência no Novo revela o que era nascente no Antigo. A tipologia é, por conseguinte, uma forma especial de profecia.

Jesus demonstrou este princípio por suas freqüentes alusões tipológicas. R. T. France resume da seguinte forma o uso que Cristo fez de tipos:

> Ele usa *pessoas* do Antigo Testamento como tipos dele próprio (Davi, Salomão, Elias, Eliseu, Isaías, Jonas) ou de João Batista (Elias); refere-se às *instituições* do Antigo Testamento como tipos dele próprio e de sua obra (o sacerdócio e a aliança); vê nas *experiências* de Israel prefigurações de si mesmo; descobre as *esperanças* cumpridas em si próprio e em seus discípulos, e vê seus discípulos assumindo o *status* de Israel; no *livramento* que Deus operou em Israel, ele vê um tipo da congregação de homens em sua igreja,

enquanto os *desastres* de Israel são prefigurações do castigo iminente dos que o rejeitam, cuja *incredulidade* está prefigurada na maldade em Israel e até, em dois casos, na arrogância das nações gentias.

Em todos esses aspectos do povo de Deus no Antigo Testamento Jesus vê prefigurações de si próprio e de sua obra, com os resultados na oposição e conseqüente rejeição da maioria dos judeus, enquanto o verdadeiro Israel agora se encontra na nova comunidade cristã. Por conseguinte, na vinda de Jesus a história de Israel atingiu seus pontos decisivos. Todo o Antigo Testamento está congregado nele. Ele próprio corporifica em sua pessoa o status e o destino de Israel, e na comunidade dos que pertencem a ele esse status e destino devem cumprir-se, não mais na nação como tal.[4]

Resumindo: para que uma figura seja tipo deve haver (1) alguma semelhança ou analogia notável entre o tipo e o antítipo; (2) alguma evidência de que Deus indicou que o tipo representa a coisa tipificada; e (2) algum antítipo futuro correspondente.

Classificações dos Tipos

Embora haja algumas variações de menor importância com referência ao número e nomes das várias classes de tipos, as cinco classes estudadas a seguir representam, em geral, as categorias mencionadas.

Pessoas típicas são aquelas cujas vidas demonstram algum importante princípio ou verdade da redenção. Adão é mencionado como tipo de Cristo (Romanos 5:14): Adão foi o principal representante da humanidade caída, enquanto Cristo o é da humanidade redimida.

Ao contrário da ênfase ao indivíduo em nossa cultura, os judeus identificam-se antes de tudo como membros de um grupo. Por isso, não é raro encontrar um representante falando ou atuando pelo grupo inteiro. *Figura representativa* refere-se à oscilação de pensamento entre um grupo e um indivíduo que representa esse grupo, e era uma forma hebraica de pensamento comum e aceita. Por exemplo, a figura de Mateus 2:15 ("Do Egito chamei o meu Filho") refere-se a Oséias 11:1, na qual o filho se identifica com a nação de Israel. Em Mateus foi o próprio Cristo (como representante de Israel) que foi chamado do Egito, por isso as palavras primitivas aplicavam-se a ele. Alguns dos salmos também vêem Cristo como representante de toda a humanidade.

Embora contrários às nossas presentes concepções, esses usos dos conceitos de cumprimento e de figura representativa possuem os requisitos indispensáveis dos dispositivos hermenêuticos legítimos e válidos; isto é, foram tencionados, usados e entendidos naquela cultura em certas formas culturalmente aceitas. O fato de que esses conceitos sejam um tanto diferentes dos nossos só confirma as diferenças entre culturas e nada diz acerca de sua validade ou invalidade.

Os *eventos típicos* possuem uma relação analógica com algum evento posterior. Paulo usa o juízo sobre o Israel incrédulo como advertência tipológica aos cristãos a que não se engajassem na imoralidade (1 Coríntios 10:1-11). Mateus 2:17-18 (Raquel chorando por seus filhos assassinados) é mencionado como analogia tipológica da situação nos tempos de Jeremias (Jeremias 31:15). Nos dias desse profeta, o acontecimento envolveu uma tragédia nacional; no tempo de Mateus, uma tragédia local. O ponto de correspondência era a angústia demonstrada em face da perda pessoal.

Instituições típicas são práticas que prefiguram eventos posteriores de salvação. Disto temos exemplo na expiação mediante o derramamento de sangue de cordeiros e mais tarde pelo de Cristo (Levítico 17:11; cf. 1 Pedro 1:19). Outro exemplo é o sábado como tipo do descanso eterno do crente.

Cargos ou ofícios típicos incluem Moisés, que em seu ofício de profeta (Deuteronômio 18:15), foi um tipo de Cristo; Melquisedeque (Hebreus 5:6) como tipo do sacerdócio contínuo de Cristo; e Davi como rei.

Ações típicas são exemplificadas por Isaías andando nu e descalço durante três anos como sinal ao Egito e à Etiópia de que em breve a Assíria os levaria nus e descalços (Isaías 20:2-4). Outro exemplo de ação típica foi o casamento de Oséias com uma prostituta. Mais tarde ele a redime, depois de sua infidelidade, simbolizando o amor da aliança divina ao Israel infiel.

Princípios de Interpretação de Tipos

Análise histórico-cultural e contextual. O lugar mais importante para se começar a investigação de dois eventos quaisquer na história da salvação é a situação histórico-cultural em que ocorram. A identificação de nomes próprios, de referências geográficas, de costumes contemporâneos, de detalhes históricos e de fundo histórico é de todo necessária a fim de entendermos como o tipo e seu antítipo se encaixam na história da salvação. O contexto imediato às vezes proporciona indícios quanto a este ponto; doutras vezes um estudo do contexto mais amplo (tal como a finalidade do livro) proporciona a compreensão do motivo que o autor tinha para incluir determinado acontecimento.

Análise léxico-sintática. Há palavras empregadas literalmente, figurativamente, ou simbolicamente? (Mais adiante neste capítulo, na seção de Profecia, discutiremos o uso simbólico de palavras.) Os mesmos princípios da análise léxico-sintática estudados no capítulo 4 aplicam-se à interpretação de tipos.

Análise teológica. Com freqüência a interpretação e a compreensão corretas dos tipos levam a um crescente apreço da unidade bíblica e da uniformidade com a qual Deus tratou com o homem em toda a história da salvação. A interpretação que dermos a um tipo será influenciada, consciente ou inconscientemente, pela opinião que tivermos da natureza da história da salvação. Não pode haver separação entre a interpretação e os pressupostos que introduzimos no texto.

Análise literária. Uma vez que o tipo é identificado como tal mediante o emprego das três características mencionadas na seção precedente, restam dois passos na análise: (1) pesquisar o texto para encontrar o ponto ou pontos de correspondência, e (2) observar os pontos importantes de diferença entre o tipo e seu antítipo.

Como em qualquer outra espécie de comparação, não era intenção do autor que todo detalhe incidental do tipo fosse ponto de correspondência. Por exemplo, alguns comentaristas têm conjecturado do fato que a serpente foi feita de bronze (metal inferior ao ouro ou à prata), e que este era um tipo da simplicidade exterior da aparência do Salvador. Outros comentaristas têm achado na madeira de acácia e no ouro do tabernáculo um tipo da humanidade e da divindade de Cristo, e outros tipos e símbolos têm sido encontrados nas tábuas, nas bases de prata, nas alturas das portas, nos tecidos de linho, no colorido ou na ausência de colorido das cortinas, etc. Tais práticas parecem perigosamente afins do alegorismo da Idade Média, imputando ao texto significado que com toda a probabilidade o autor bíblico não tinha em mente. O contexto e a analogia da fé (outras passagens bíblicas relativas) permanecem como a melhor fonte de discriminação entre tipos e não-tipos.

Profecia

A interpretação de profecia é um assunto sumamente complexo, não tanto em virtude da discordância concernente aos princípios interpretativos corretos, mas por causa das diferenças de opinião sobre como aplicar esses princípios. A seção a seguir aponta os princípios sobre os quais há concordância geral bem como os problemas que ainda aguardam solução.

Em ambos os Testamentos, "profeta é um porta-voz de Deus que declara a vontade de Deus ao povo".[5] A profecia refere-se a três coisas: (1) predizer eventos futuros (e.g., Apocalipse 1:3; 22:7, 10; João 11:51); (2) revelar fatos ocultos quanto ao presente (Lucas 1:67-79; Atos 13:6-

12), e (3) ministrar instrução, consolo e exortação em linguagem poderosamente arrebatada (e.g., Amós; Atos 15:32; 1 Coríntios 14:3, 4, 31).

Se aceitarmos as datas dos vários livros da Bíblia comumente dadas pelos eruditos evangélicos, parece-nos que uma significativa porção da Bíblia é profecia preditiva (denotação 1). Payne calcula que dos 31.124 versículos da Bíblia, 8.352 (27%) são material preditivo à época em que foram proferidos ou escritos. Na Bíblia, predizer estava a serviço de proclamar (denotação 3). Com freqüência, o padrão era este: "À luz do que o Senhor vai fazer (predição), devemos viver vidas piedosas (proclamação)."

A profecia preditiva pode servir a várias funções importantes. Pode trazer glória a Deus dando testemunho de sua sabedoria e soberania sobre o futuro. Pode conceder segurança e consolo aos crentes oprimidos. Pode motivar os ouvintes a uma fé mais vigorosa e uma santidade mais profunda (João 14:29; 2 Pedro 3:11).

Profecia e Literatura Apocalíptica

No século vinte, os estudiosos da profecia bíblica têm passado considerável tempo investigando um gênero particular chamado "apocalíptico". Esta palavra nos vem do grego *apokalupsis* (encontrada em Apocalipse 1:1), que significa "desvendar" ou "revelar". O foco primário da literatura apocalíptica é a revelação do que esteve oculto, particularmente com relação aos tempos do fim. Encontram-se escritos apocalípticos não canônicos desde o tempo de Daniel até ao fim do primeiro século da era cristã, e há entre eles diversas características comuns. Esses aspectos, que Leon Morris descreve, incluem:

1. O escritor escolhe um homem importante do passado (e.g., Enoque ou Moisés) e faz dele o herói do livro.
2. Este herói freqüentemente empreende uma viagem, acompanhado por um guia celestial que lhe mostra vistas interessantes e comenta-as.
3. Muitas vezes a informação é comunicada por meio de visões.
4. As visões, com freqüência, fazem uso de simbolismo estranho e até enigmático.
5. Vez por outra as visões são pessimistas com relação à possibilidade de que a intervenção humana melhore a presente situação.
6. De modo geral as visões terminam com a intervenção divina levando o presente estado de coisas a um final cataclísmico e estabelecendo uma situação melhor.
7. O escritor apocalíptico muitas vezes usa pseudônimo, alegando escrever em nome do herói que ele escolheu.

8. É freqüente o escritor tomar história passada e reescrevê-la como se fosse profecia.
9. O foco da literatura apocalíptica está no consolar e sustentar "o remanescente justo."[6]

George Ladd vê o desenvolvimento do gênero apocalíptico como resultado de três principais fatores. O primeiro é "o surgimento de um Remanascente Justo' ", um grupo minoritário, geralmente sem grande poder político, que se julga um remanescente fiel a Deus enquanto cercado pelos infiéis. O segundo fator é "o problema do mal". Já num livro tão antigo como o de Jó, estava registrada a concepção de que Deus recompensa os justos e castiga os ímpios. Como, pois, poderia o Remanescente Justo conciliar o fato de que eram oprimidos por pessoas muito mais ímpias do que eles? Terceiro, "A cessação da profecia" (registrada no livro não canônico de 2 Baruque 85:3) criou um vácuo espiritual: o Remanescente Justo ansiava por ouvir uma palavra de Deus, porém nada vinha. Os apocalipticistas tentaram trazer da parte de Deus uma palavra de consolo e de segurança aos homens do seu tempo.

A literatura apocalíptica participa de muitos pontos em comum com a profecia bíblica. Ambas se interessam pelo futuro. Ambas empregam com freqüência linguagem figurativa e simbólica. Ambas acentuam o mundo invisível que jaz além da ação do mundo visível. Ambas encarecem a redenção futura do crente fiel.

Há, também, suas diferenças. Dentre elas, as seguintes:

1. A apresentação inicial da profecia era, em geral, em forma oral e mais tarde foi colocada em forma escrita. A apresentação inicial da apocalíptica era, em geral, escrita.
2. Os pronunciamentos proféticos são, na maioria das vezes, oráculos separados, breves. Os apocalípticos são, com freqüência, mais longos, mais contínuos; têm ciclos de material repetido pela segunda ou terceira vez em forma paralela.
3. A tendência do gênero apocalíptico é conter mais simbolismo, especialmente de animais e de outras formas vivas.
4. O gênero apocalíptico acentua mais o dualismo (anjos e o Messias versus Satanás e o anticristo) do que o faz a profecia.
5. Antes de tudo, o gênero apocalíptico consola e estimula o Remanescente Justo. A profecia amiúde castiga o religioso que o é apenas de nome.
6. O gênero apocalíptico é geralmente pessimista acerca da eficácia da intervenção humana para mudar a situação presente. A profecia focaliza a importância da mudança humana.
7. O gênero apocalíptico geralmente era escrito com o emprego de

pseudônimo. A profecia era, em geral, falada ou escrita em nome do seu autor.

As distinções acima são antes questões de grau e de ênfase do que de diferenças absolutas. Podemos citar exceções para cada uma delas; contudo, os mais conservadores estudiosos da Bíblia aceitariam estas diferenças.

As seções apocalípticas de fato ocorrem nos livros canônicos, de modo mais notável em Daniel (capítulos 7-12) e no Apocalipse. Há também trechos apocalípticos em Joel, Amós e Zacarias. No Novo Testamento, o discurso de Jesus no monte das Oliveiras (Mateus 24—25 e paralelos) contém elementos apocalípticos.

O material apocalíptico na Bíblia tem muitos elementos em comum com o apocalíptico encontrado nos livros não canônicos; também se têm observado diferenças. A superposição de características afeta o problema da inspiração. A pergunta que suscita é: "Como o uso de um gênero enigmático, criado pelo homem, tal como o apocalíptico, afeta a autoridade e a fidedignidade das passagens bíblicas nas quais ele se encontra?"

No estudo das formas literárias, em capítulos anteriores, vimos que Deus revelou sua verdade usando formas literárias conhecidas do povo daquele tempo. A escolha de uma variedade de artifícios literários para transmitir informação não destrói a validade dessa informação. Nossa falta de familiaridade com um gênero especial como o apocalíptico não atinge a fidedignidade da informação contida em passagens apocalípticas, mas apenas nossa capacidade de interpretá-las com segurança. Talvez, à medida que nossa compreensão do gênero apocalíptico intertestamentário aumenta, aumente proporcionalmente nossa capacidade de interpretar com segurança profecias sobre o tempo do fim.

Problemas na Interpretação da Profecia e da Literatura Apocalíptica

Antes de entrarmos na interpretação da profecia e da literatura apocalíptica, precisamos decidir sobre vários problemas teoréticos e práticos. Quanto a alguns desses problemas há concordância básica entre os evangélicos; quanto a outros, há significativas diferenças de opinião.

Princípios hermenêuticos. Um problema fundamental na interpretação da profecia e da literatura apocalíptica é saber se esta literatura pode ser interpretada usando-se os mesmos princípios hermenêuticos que se aplicam a outros gêneros, ou se há necessidade de algum método hermenêutico especial.

A maioria dos eruditos evangélicos (Ramm, Berkhof, Tenney, Pentecost, Payne, e outros) concorda em que a interpretação da profecia começa com os procedimentos que temos rotulado de análises contextual, histórico-cultural, léxico-gramatical, e teológica. Por exemplo, uma exposição das porções apocalípticas do livro do Apocalipse começaria pela tentativa de entender tanto quanto possível as circunstâncias históricas daquele tempo. Depois se examinaria o contexto dos três primeiros capítulos a fim de obter informação pertinente à interpretação do que se segue. A análise léxico-sintática prosseguiria como se dá com outros gêneros, com o reconhecimento de que tanto a profecia como a literatura apocalíptica tendem a usar palavras com maior freqüência nos sentidos simbólico, figurativo e analógico do que os demais gêneros. A análise teológica averiguaria como as profecias se ajustam noutra informação paralela na Escritura.

Sentido mais profundo. O segundo grande problema é saber se existe ou não na profecia um *sensus plenior*. Há um significado mais profundo num texto profético, significado que Deus tinha em mente mas não claramente intencionado pelo autor humano?

Ambas as opiniões quanto a este problema podem ser demonstradas pelo exemplo de Caifás, o sumo sacerdote, que profetizou que "convém que morra um só homem pelo povo, e que não venha a perecer toda a nação" (João 11:50). Os defensores do *sensus plenior* diriam que Caifás obviamente não tinha nenhuma concepção da morte expiatória de Cristo e, portanto, estava profetizando coisas que ele realmente não entendia. Os adversários desta opinião argumentariam que Caifás entendia o que profetizava (*convém* que morra um só homem pelo povo), e só não entendia as implicações totais do que disse. Este, argumentam eles, é um fenômeno natural e freqüente na comunicação: os homens muitas vezes entendem o que dizem sem compreenderem todas as implicações. Os escritores bíblicos, do mesmo modo, entendiam o que profetizavam, mas provavelmente não compreendiam todas as implicações de suas profecias.

Literal versus simbólico. O terceiro problema, e muito prático, na interpretação da profecia relaciona-se com determinar quanto deve ser interpretado literalmente, e quanto simbolicamente ou analogicamente. Por exemplo, uma análise literal da profecia muitas vezes concebe a "besta" do Apocalipse como uma pessoa (observe que até esta não é *totalmente* literal); uma análise simbólica vê-a como personificação da ânsia pelo poder. Uma análise literal concebe Babilônia como uma cidade real (muitas vezes como Roma), ao passo que uma análise simbólica vê Babilônia como o desejo de lucro econômico. Os literalistas muitas vezes vêem a última batalha como um combate físico real; os simbolistas vêem-na como representação da vitória da verdade sobre o mal.

O problema não está entre um método estritamente literal versus outro estritamente simbólico; até mesmo o mais estrito literalista toma algumas coisas simbolicamente. Por exemplo, o entendimento literal da passagem concernente à mulher sentada sobre sete montes (Apocalipse 17:9) sugeriria que esses montes eram muito pequenos ou que a mulher tinha um tamanho descomunal. Inversamente, até o mais consumado simbolista interpreta alguns trechos literalmente. Por conseguinte, as diferenças entre literalistas e simbolistas são antes relativas que absolutas, a envolver perguntas sobre "quanto" e "quais partes" da profecia devem interpretar-se simbolicamente em vez de literalmente.

Para determinadas partes da profecia alguns intérpretes preferem um método analógico, uma espécie de *via media* entre o estritamente literal e o estritamente simbólico. Neste método, as declarações são interpretadas literalmente, mas depois traduzidas para seus equivalentes hodiernos. A Batalha do Armagedom, por exemplo, não é combatida com cavalos e lanças mas com análogos modernos (talvez tanques e artilharia). O fundamento lógico subjacente a esta interpretação é que se Deus tivesse dado a João uma visão de transportes e equipamentos modernos, o apóstolo não teria podido entender o que via nem comunicá-lo com clareza ao seu auditório.

O problema de saber se uma palavra ou frase deve ser interpretada literal, simbólica ou analogicamente não é de resposta fácil. O contexto e os usos históricos das palavras são os melhores guias gerais na tomada de decisões concernentes ao seu uso dentro de determinada passagem.

Universalidade. O quarto problema, concernente à universalidade de certos símbolos apocalípticos, é saber se um símbolo significa ou não a mesma coisa toda vez que é empregado. A tendência de alguns escritores mais antigos era a de atribuir significado simbólico universal a certos números, cores, ou artigos; por exemplo, o azeite *sempre* foi símbolo do Espírito Santo; o fermento, sempre símbolo do mal. É provável que a maioria dos eruditos de nossos tempos rejeite a noção de símbolos universais, mas aceite a idéia de uma regularidade no simbolismo de alguns autores bíblicos. Os números freqüentemente considerados como simbólicos são 7, 12, e 40. (Ainda está por solucionar o problema de determinar se 1000 é simbólico ou não.) As cores que com freqüência possuem significado simbólico são o branco, o vermelho, e o roxo (púrpura), amiúde representando os conceitos de pureza, de derramamento de sangue, e de realeza, respectivamente.

Condicionalidade. O quinto problema é se todas as declarações proféticas são condicionais ou não, mesmo quando o condicional *se* não vem expresso. Podemos demonstrar o problema deste modo: Com base em diversas passagens bíblicas (e.g., Malaquias 3:6; Hebreus 6:17-18; Tiago 1:17), cremos que Deus é imutável. Por outro lado, lemos a respeito de algumas ocasiões em que Deus se arrepende — muda de idéia com relação a determinado juízo como em Êxodo 32:14; Salmo 106:45, e Jonas 3:10. No caso de Jonas, evidentemente Deus havia mandado o profeta pregar a mensagem de que Nínive seria subvertida dentro de quarenta dias. Não parecia haver condições formuladas pelas quais essa predição pudesse ser evitada; contudo, quando o povo de Nínive se arrependeu, também Deus sustou o juízo predito (Jonas 3:10).

Essas passagens levantam duas perguntas: Primeira, como conciliar a doutrina da imutabilidade de Deus com o fato de que a Escritura registra que ele mudou de idéia em diversos casos? Segunda, visto que não havia um *se* declarado na predição do juízo vindouro sobre Nínive, entende-se que todas as profecias contêm uma cláusula condicional não declarada?

A resposta a ambas as perguntas encontra-se, pelo menos em parte, na explicação de Deus a Jeremias, registrada em Jeremias 18:7-10, onde ele diz:

> No momento em que eu falar acerca de uma nação, ou de um reino para o arrancar, derribar e destruir, se a tal nação se converter da maldade contra a qual eu falei, também eu me arrependerei do mal que pensava fazer-lhe. E no momento em que eu falar acerca de uma nação ou de um reino, para o edificar e plantar, se ela fizer o que é mal perante mim, e não der ouvidos à minha voz, então me arrependerei do bem que houvera dito lhe faria.

Esses versículos ajudam-nos a qualificar com maior clareza o conceito da imutabilidade divina. De quando em quando Deus altera suas ações preditas de sorte a permanecer coerente em seu caráter. Visto que os homens às vezes mudam seu comportamento em relação com Deus, Deus muda de modo correspondente as ações preditas em relação a eles, a fim de permanecer coerente com seu próprio caráter de amor e justiça. A mesma disposição de condicionar as profecias nacionais à reação do homem encontra-se nas ações de Deus para com indivíduos que se arrependem (e.g., 1 Reis 21:1-29). Portanto, provavelmente seja sábio reconhecer que as profecias podem trazer consigo uma condicionalidade implícita mesmo que a condição não esteja explicitamente declarada.

Significado único versus múltiplo. Um problema final, e sobre o qual há considerável controvérsia entre os evangélicos de nossos dias, é se as passagens proféticas têm um significado único ou múltiplo. Os que defendem a posição do significado múltiplo empregam uma variedade de expressões para descrever seu ponto de vista, como "significado duplo", "referência dupla", "cumprimento multíplice", ou "sentido múltiplo". Em capítulos anteriores já consideramos os problemas teoréticos e práticos inerentes a qualquer sistema de exegese que afirma que uma passagem pode ter uma variedade de significados. Payne apresenta uma excelente crítica da posição do significado múltiplo, e também discute os princípios interpretativos proféticos coerentes com o conceito de um significado intencional único em cada passagem. Sua discussão forma a base dos parágrafos seguintes.

A afirmativa de que textos bíblicos tenham um único *significado* não nega, de forma alguma, o fato de que o significado possa ter uma variedade de *aplicações* em situações diferentes. Este mesmo princípio aplica-se a passagens proféticas e seu cumprimento, conforme esclarece Payne:

> As epístolas do NT, portanto, repetidamente citam profecias do AT, embora não com referência aos seus cumprimentos reais; por exemplo, 2 Coríntios 6:16 cita Levítico 26:11 (sobre a presença de Deus com seu povo no ainda futuro testamento de paz); 6:17 cita Isaías 52:11 (sobre a retirada de Israel da impura Babilônia, e 6:18 traduz livremente Oséias 1:10 (sobre a inclusão dos gentios na família de Deus), todas para mostrar a presente alegria dos cristãos pela presença de Deus, e nossa necessidade de mantermos separação da impureza do mundo, embora apenas a última, Oséias 1:10, tivesse isto em mente desde a origem. Terry torna claro que "Podemos prontamente admitir que as Escrituras são susceptíveis de *aplicações* práticas multiformes; a não ser assim, elas não seriam úteis para o ensino, para a repreensão, para a correção, para a educação na justiça (2 Timóteo 3:16)", embora ele permaneça firme em sua insistência sobre o cumprimento único da profecia bíblica.[7]

Em lugar do conceito de significados múltiplos, Payne usa os conceitos de predição progressiva, cumprimento evolutivo, e contração profética. A *predição progressiva* refere-se ao fato de que embora cada passagem profética tenha um único cumprimento intencional, muitas vezes uma série de passagens exibe um padrão de progresso cronológico na decretação profética. Assim, a passagem A pode falar-nos de certos acontecimentos, a passagem B acerca dos acontecimentos imediatamente seguintes, e a passagem C acerca dos acontecimentos culminantes da série. A associação dessas várias passagens forma um todo que pode ser identificado como predição progressiva. Às vezes essas passagens são apresentadas como ciclos dentro do mesmo livro, com cada ciclo apresentando informação adicional. Dois exemplos bem conhecidos de predições progressivas que ocorrem em ciclos são os livros de Zacarias e do Apocalipse.

O segundo conceito de significado profético, *cumprimento evolutivo*, refere-se à concretização de uma profecia generalizada, abrangente em diversas fases progressivas. Temos disto um exemplo na profecia de Gênesis 3:15, que fala em termos muito gerais de ferir a cabeça de Satanás. As fases progressivas no cumprimento desta profecia começam com a morte, ressurreição e ascensão de Cristo (João 12:31-32; Apocalipse 12:5, 10), continuam na igreja (Romanos 16:20), e terminam com o aprisionamento de Satanás no abismo (Apocalipse 20:3) e seu lançamento no lago do fogo (Apocalipse 20:10).

O terceiro conceito de cumprimento profético chama-se *contração profética*, e se refere à bem conhecida característica de que a "profecia bíblica pode saltar de um pico proeminente preditivo para outro, sem reparar no vale que há entre um e outro, o que pode envolver lapso nada desprezível na cronologia".[8] A contração ocorrida quando os profetas misturaram o primeiro e o segundo adventos de Cristo é um exemplo deste fenômeno.

Variedades de Teorias Escatológicas

Visto serem muitos os problemas não solucionados com vistas à interpretação das profecias, não é de surpreender que haja uma variedade de teorias escatológicas. Esta seção apresentará em forma breve algumas dessas teorias.

Pré-milenismo é a teoria de que Cristo voltará antes do milênio. Ele descerá à terra e estabelecerá um reino terrenal de 1000 anos, com sua sede em Jerusalém.

Pós-milenismo é o ponto de vista de que através da evangelização, o mundo finalmente será alcançado para Cristo. Haverá um período em que o mundo experimentará alegria e paz em virtude de sua obediência a Deus. Cristo voltará à terra no fim do milênio.

Amilenismo é conceitualmente uma forma de pós-milenismo. C milênio, nesta teoria, é simbólico e se refere ao tempo entre a primeira e a segunda vindas de Cristo, e não a um período literal de 1000 anos. Durante este tempo Cristo governa simbolicamente no coração dos homens. Alguns amilenistas crêem que Cristo nunca terá um governo terreno, mesmo simbólico. Para eles o milênio refere-se ao governo celestial de Cristo na eternidade.

O pós-milenismo — o ponto de vista de que a igreja finalmente conquistará o mundo para Cristo e introduzirá o milênio — rapidamente perdeu popularidade durante a primeira metade do século vinte. A carnificina das guerras mundiais foi um implacável lembrete à maioria dos pós-milenistas de que o mundo *não* estava sendo ganho para Cristo. Daí que a maioria dos cristãos evangélicos hoje se identifica ou como pré-milenistas ou como amilenistas.

Hermeneuticamente falando, o principal problema que separa os pré-milenistas dos amilenistas é o de determinar quanto da profecia deveria ser interpretado literalmente e quanto simbolicamente. O pré-milenista interpreta quase tudo literalmente. Ele crê que Cristo realmente virá à terra, estabelecerá um reino terrenal físico, e reinará por 1000 anos literais. Crê que as promessas feitas a Israel e à igreja devem manter-se separadas, e que não é válido tomar promessas físicas feitas a Israel, espiritualizá-las, e aplicá-las à igreja. Ele baseia seu método hermenêutico no princípio de que a Escritura deve ser interpretada literalmente, a não ser que o contexto mostre, de modo definido, que o autor tencionava outra coisa.

O amilenista interpreta as coisas mais simbolicamente em face da linguagem simbólica empregada em passagens proféticas. Ludwigson dá um exemplo: "Cristo amarrou Satanás (simbolicamente): (1) resistindo-lhe no deserto; (2) pagando a penalidade do pecado para redimir o homem; (3) destruindo, em sua ressurreição, o poder da morte; e (4) oferecendo salvação aos gentios, impossibilitando a Satanás continuar enganando as nações... Satanás ainda pode enganar indivíduos, [mas] já não pode mais enganar as nações.[9] De igual modo, o amilenista interpreta o governo milenial de Cristo simbolicamente ao invés de fazê-lo literalmente: o reino já está presente no coração dos crentes. Os crentes do Novo Testamento representam o Israel espiritual e, portanto, as promessas do Antigo Testamento aplicam-se ao novo Israel, a igreja.

Há uma base hermenêutica para ambos os modelos de interpretação, pré-milenial e amilenial. É correto, conforme assevera o pré-milenista, entender as passagens bíblicas literalmente, a menos que o contexto indique de outro modo. Contudo, o amilenista também está certo em afirmar que a maior parte da profecia e da literatura apocalíptica é simbólica, justificando uma interpretação simbólica.

Ao atracar-se com o problema, verifique a coerência interna de cada posição por sua vez em relação a todos os dados bíblicos. Este método de "bom encaixe" pode ser útil na tomada de uma decisão acerca dos méritos das duas teorias. Em última análise, a mais importante implicação espiritual de todo o estudo escatológico encontra-se em 1 João 3:2-3:

> Amados, agora somos filhos de Deus, e ainda não se manifestou o que havemos de ser. Sabemos que, quando ele se manifestar, seremos semelhantes a ele, porque havemos de vê-lo como ele é. E a si mesmo se purifica todo o que nele tem esta esperança, assim como ele é puro.

Princípios para Interpretação da Profecia

Análise histórico-cultural. A ampla variedade de teorias concernentes aos tempos do fim surge não tanto de discordância a respeito de princípios de interpretação profética quanto de diferenças na aplicação desses princípios. Quase todos os comentaristas concordam em que uma cuidadosa análise histórico-cultural constitui um requisito indispensável para a compreensão exata de uma profecia. Permanece como primeiro passo decisivo a determinação da identidade de todos os nomes próprios, eventos, referências geográficas, e assim por diante. Mesmo quando tais referências são usadas simbolicamente, como muitas vezes ocorre com a cidade de Babilônia, o conhecimento da cidade histórica de Babilônia proporciona importantes indícios acerca de seu significado simbólico. A cuidadosa análise histórica também permanece como o único meio de determinar se uma profecia já se cumpriu ou não. Não menos importante é a análise dos costumes culturais pertinentes.

Análise léxico-sintática. Um cuidadoso estudo do contexto às vezes revela se o autor tencionava que suas palavras fossem entendidas literalmente, simbolicamente, ou analogicamente. Todavia, ainda assim, a tarefa de interpretar pode ser difícil, conforme observa Girdlestone:

> [O que] faz a linguagem da profecia tão vívida e não obstante difícil, é que ela é sempre mais ou menos figurativa. É poesia em vez de prosa. É abundante em

palavras e expressões peculiares que em geral não se encontram nos escritos em prosa da mesma data. É rica de alusões à vida contemporânea e à história passada, algumas das quais são decididamente obscuras. As ações nela registradas às vezes são simbólicas, às vezes típicas. O presente, o passado, e o futuro, o declaratório e o preditivo, todos se combinam e se fundem num só. O curso dos indivíduos, a ascensão e queda das nações, as perspectivas do mundo em geral, são todos rapidamente retratados em linguagem realística.[10]

As palavras que foram traduzidas do hebraico, do aramaico, ou do grego podem possuir um conjunto de denotações que difere significativamente das palavras primitivas. Temos um exemplo disto altamente aplicável ao estudo da profecia, que é a palavra *cumprir*, ou *cumprimento*. Nas línguas bíblicas, este conceito assume uma variedade de significados, incluindo:

1. inferir as implicações plenas de alguma coisa (Mateus 5:17; cf. versículos 18-48);
2. término de um tempo fixado (Marcos 1:15; Lucas 21:24);
3. satisfazer um pedido ou desejo (Ester 5:8; Salmo 145:19; Provérbios 13:19);
4. levar a cabo o que foi prometido (Levítico 22:21);
5. conformar-se a uma exigência ou a ela obedecer (Gálatas 5:14; Tiago 2:8; Mateus 3:15);
6. correspondência de frases, ilustrações, ou eventos entre um período histórico e outro (Mateus 2:23, cf. Isaías 11:1; Jeremias 31:15; cf. Mateus 2:17-18; Isaías 9:1-2, cf. Mateus 4:13-16).

Evidentemente, aplicar as denotações da palavra *cumprir* à suas ocorrências no texto bíblico resultará, às vezes, numa interpretação que seu autor não tinha em mente.

Análise teológica. Para o estudante interessado em profecia, geralmente há muitas passagens paralelas que devem ser consultadas. Algumas vezes tais passagens ocorrem no mesmo livro, como nos casos em que a profecia é dada em ciclos. Com freqüência outros profetas falaram sobre o mesmo tópico, preenchendo detalhes adicionais que não constam na passagem em estudo.

Análise literária. Uma vez determinado que a passagem é profética ou apocalíptica, aumenta a probabilidade de alusões simbólicas e analógicas. Os conceitos de predição progressiva, de cumprimento evolutivo, e de contração podem ser aplicados à compreensão do texto quando conveniente.

Na interpretação da profecia como em outros tipos de literatura bíblica, é importante que comparemos o nosso trabalho com o de outros. A complexidade dos tópicos, a ampla linha de passagens paralelas, e a multidão de alusões incomuns tornam imperativo valer-se da riqueza de conhecimento de eruditos que estudaram essa área em profundidade.

Resumo

Foram neste capítulo estudados os seguintes passos para a interpretação dos tipos e da profecia:

Tipos	Profecia e Escritos Apocalípticos
1. Análise histórico-cultural e contextual: determinar o significado no tempo e na cultura tanto do tipo como do antítipo.	1. Análise histórico-cultural e contextual: determinar a situação histórica específica que cerca a composição do escrito. Estudar a história interveniente para ver se a profecia foi cumprida ou não.
2. Análise léxico-sintática: seguir os mesmos princípios adotados em outras formas literárias.	2. Análise léxico-sintática: esperar que mais palavras sejam empregadas em sentidos simbólico e analógico.
3. Análise teológica: pesquisar o texto quanto aos pontos de correspondência entre o tipo e seu antítipo à medida que se relacionam com a história da salvação.	3. Análise teológica: estudar passagens paralelas ou outros ciclos dentro da mesma profecia para obter mais informação.
4. Análise literária: a. Descobrir uma semelhança ou analogia notável entre o tipo e seu antítipo. b. Descobrir evidências de que o tipo foi indicado por Deus para representar a coisa tipificada.	4. Análise literária: a. Estar cônscio de que o estilo é geralmente figurativo e simbólico. b. Estar atento a elementos sobrenaturais como informação comunicada pela proclamação de anjos, por visões, ou por

c. Determinar o ponto ou pontos de correspondência entre o tipo e o antítipo — pessoas, eventos, instituições, ofícios ou ações típicos.

d. Notar os pontos importantes de diferença entre o tipo e o antítipo.

5. Comparar sua análise com a de outros; modificar, corrigir, ou ampliar sua interpretação conforme apropriado.

outros meios sobrenaturais.

c. Observar a ênfase ao mundo invisível que está por trás da ação do mundo visível.

d. Acompanhar a ação até sua conclusão usual por uma soberana intervenção de Deus.

e. Investigar se a passagem é parte de uma predição progressiva, se é passível de cumprimento evolutivo, ou se inclui contração profética.

5. Comparar sua análise com a de outros; modificar, corrigir ou ampliar sua interpretação conforme apropriado.

Exercícios

PC44: Tem-se dito que em Jeremias 10:3-4 a Bíblia profetiza o uso de árvores de Natal. É válida esta interpretação destes versículos? Por que é, ou por que não é?

PC45: A Bíblia também prevê o uso de aviões a jato, em Ezequiel 10:9-17, segundo alguns intérpretes. Mais especificamente, esta passagem descreve as calotas e rodas (vv. 9-11), as janelas (v. 12), as turbinas a jato (v. 13), e uma decolagem (vv. 15-16). É válida esta interpretação? Por que é, ou por que não é?

PC46: De acordo com alguns intérpretes, há também uma profecia bíblica de carros de polícia, correndo para atender a uma emergência, com seus faróis piscando (Naum 2:4). Discuta a validade desta interpretação.

PC47: Muitos estudiosos da Bíblia têm entendido as sete igrejas dos capítulos 2 e 3 do Apocalipse como as igrejas históricas do tempo de João bem como as sete épocas sucessivas da história da igreja. Você concorda ou discorda? Prepare-se para dar princípios hermenêuticos que justifiquem sua resposta.

PC48: Interprete a passagem do capítulo 20 do Apocalipse tanto do ponto de vista do pré-milenista como do amilenista. Que problemas hermenêuticos surgem com cada método?

PC49: Alguns dos pais da igreja primitiva tentaram encontrar um quadro tipológico da Trindade no Antigo Testamento mediante a afirmativa de que as três histórias da arca são tipos das três pessoas da Divindade. É válida esta tipologia? Por que é válida ou por que não?

PC50: Um livro que trata de hermenêutica chegou às seguintes conclusões no seu estudo de tipologia do tabernáculo do AT: Os tecidos de linho significam o Justo, Jesus. O bronze é sempre símbolo de juízo. A prata é sempre símbolo de redenção. No tabernáculo o linho puro (Jesus) pendia das colunas de bronze e era fixado em bases de bronze (juízo), mas eram juntados com varas de ganchos de prata (redenção). Jesus poderia ter descido da cruz, mas não o faria. Nossa redenção o retinha ali (os ganchos de prata da redenção que prendiam o linho ao bronze). É válida esta tipologia? Por que sim, ou por que não?

PC51: O mesmo texto de hermenêutica insiste nos seguintes pontos com relação ao significado das peles de animais marinhos (Êxodo 26:14). O fato de que essas peles não eram muito agradáveis aos olhos é típico do fato de que "Ele não tinha aparência nem formosura". Do lado de fora as pessoas só podiam ver a coberta exterior de peles. Para se ver o belo linho, era preciso estar dentro. Semelhantemente, o mundo vê somente a humanidade de Cristo e não sua divindade. De dentro podia-se ver o roxo, a escarlata, o azul, o ouro, e a prata. A aplicação correspondente é que devemos entrar em Cristo para ver sua beleza. É válida esta tipologia? Por que é, ou por que não é?

PC52: Um ministro pregou uma mensagem baseada em Ezequiel 37 (a visão dos ossos secos). Disse que embora a mensagem se dirigisse inicialmente à nação de Israel, ela poderia também ser legitimamente aplicada à igreja. Sua mensagem focalizava a importância de criar relacionamentos com outros no corpo de Cristo (ligar-se aos outros ossos). É este um uso válido deste texto? Por que é, ou por que não é?

PC53: Outro ministro pregou uma mensagem tirada de Isaías 18:17. Disse que embora a intenção visasse primeiro à Etiópia, segundo a teoria do "duplo cumprimento" da profecia, ela também poderia ser legitimamente aplicada aos Estados Unidos. Alguns de seus pontos foram: (1) v. 1. Os Estados Unidos são um dos poucos países que têm uma ave como símbolo nacional; (2) o v. 2 descreve os Estados Unidos como uma nação forte e poderosa; (3) o v. 3 refere-se ao hasteamento da bandeira norte-americana na lua; e (4) o v. 5 adverte-nos de que o juízo está vindo para os Estados Unidos. É este um uso legítimo deste texto? Por que sim, ou por que não?

PC54: Muitas vezes se tem interpretado Isaías 14:12-15 como uma alusão tipológica a Satanás. Discuta os prós e os contras hermenêuticos de tal interpretação.

PC55: Em Mateus 16:19, Jesus profetiza que dará a Pedro as chaves do reino do céu. Qual é o significado desta profecia?

PC56: Alguns crêem que a profecia de Paulo em 1 Coríntios 15:22 sugere que todos serão salvos ("Porque assim como em Adão todos morrem, assim também todos serão vivificados em Cristo"). Como responderia você a este argumento?

PC57: Alguns comentaristas liberais têm alegado que Cristo se enganou quanto ao tempo de sua segunda vinda, por causa de versículos como Mateus 24:34 que parecem indicar que ele voltaria dentro de uma geração. Há outros meios legítimos de entender este versículo?

---

1. *Antítipo* como termo literário nem sempre corresponde à palavra grega *antitupos*, que aparece vez por outra na Bíblia (e.g., Hebreus 9:24).
2. Citado em G. Lampe & K. Woolcombe, *Essays in Typology* (Napeville: Allenson, 1957), pp. 31-32.
3. As três características são citadas de M. S. Terry, *Biblical Hermeneutics* (reimpressão, Grand Rapids: Zondervan, 1974), pp. 337-338.
4. R. T. France, *Jesus and the Old Testament* (Downers Grove: Inter-Varsity, 1971), pp. 75-76.
5. A. B. Mickelsen, *Interpreting the Bible* (Grand Rapids: Eerdmans, 1963), p. 280.
6. Leon Morris, *Apocaliptic* (Grand Rapids: Eerdmans, 1972), pp. 34-61.
7. Payne, *Encyclopedia of Biblical Prophecy*, pp. 128-129.
8. Ibid., p. 137.
9. R. Ludwigson, *A Survey of Bible Prophecy*, 2 ed. (Grand Rapids: Zondervan, 1975), p. 109.
10. Robert B. Girdlestone, *The Grammar of Prophecy* (reimpressão, Grand Rapids: Kregel, 1955), p. 48. Citado em Ramm, *Protestant Biblical Interpretation*, p. 247.

8 Aplicação da Mensagem Bíblica

Uma Proposta para o Problema Transcultural

Nos sete capítulos anteriores estudamos as práticas da hermenêutica tradicional com o fim de responder à pergunta básica: "Qual o significado que o autor tinha em mente ao escrever determinado texto?" Este capítulo formulará outra pergunta: "Quais as implicações desse significado para nós em época e cultura diferentes?"

São duas as principais categorias de passagens bíblicas às quais a pergunta acima deve ser endereçada. A primeira é constituída de porções narrativas. Como podemos tornar essas porções bíblicas úteis para o ensino, para a repreensão, para a correção, e para a educação na justiça de um modo hermeneuticamente válido?

Segunda, como podemos aplicar os mandamentos normativos da Escritura? Transferimo-los por atacado para nosso tempo e cultura, sem levar em conta quão arcaicos ou peculiares nos pudessem parecer? Ou devemos transformá-los? Que diretrizes adotamos para responder a essas perguntas?

Este capítulo divide-se em duas partes. A primeira descreve um método — dedução de princípios — isto é, um modo hermeneuticamente legítimo de demonstrar a aplicabilidade das porções narrativas da Escritura aos crentes hodiernos. A segunda propõe um modelo para traduzir mandamentos bíblicos de uma cultura para outra.

Dedução de Princípios: Uma Alternativa para a Alegorização de Narrativas Bíblicas

Conforme vimos no capítulo 2, o alegorismo desenvolveu-se de um motivo correto: o desejo de tornar as passagens do Antigo Testamento aplicáveis ao crente do Novo. O alegorismo foi rejeitado, porém, porque leva para o texto significado que o autor nunca tencionou. Por conseguinte, há necessidade de um método que torne as longas seções históricas da Escritura aplicáveis ao crente de nossos dias.[1]

Uma simples repetição da narrativa é um método expositivo insuficiente e ineficaz. Sozinho, tal método conduz a uma "mensagem a.C.", mensagem que pode ter tido aplicabilidade para os crentes da época em que foi escrita, mas deixa de ser pertinente aos de hoje. Há necessidade, pois, de um método expositivo que torne as porções narrativas da Escritura aplicáveis aos crentes de nossos dias sem fazer o texto dizer algo que o primitivo autor não tinha em mente. Na falta de uma palavra que descreva o método que realize isto, damos-lhe o nome de dedução de princípios.

Esse método é uma tentativa para descobrir em uma narrativa os princípios espirituais, morais ou teológicos que dizem respeito ao crente de hoje. Baseia-se na suposição de que o Espírito Santo escolheu esses incidentes históricos registrados na Escritura com uma finalidade: informar, transmitir uma mensagem, esclarecer uma importante verdade etc. Trata-se de um método que tem como objetivo tentar entender uma história de tal modo que possamos reconhecer o motivo primário por que foi incluída na Escritura, bem como os princípios que ela pretendia ensinar.

Diferente da alegorização, que dá a uma história novo significado, atribuindo aos seus detalhes significação simbólica que o autor não tencionava dar, a dedução de princípios busca derivar seus ensinos de uma cuidadosa compreensão da própria história. Diferente da desmitologização, a dedução de princípios reconhece a validade tanto dos detalhes históricos de uma narrativa como dos princípios que esses detalhes tentam ensinar.

Metodologicamente, o sistema é o mesmo da exegese de qualquer passagem bíblica. Observam-se cuidadosamente as circunstâncias históricas e os costumes culturais que iluminam o significado de várias ações e mandamentos. Estuda-se a finalidade do livro em que a narrativa ocorre, bem como o contexto mais estreito das passagens imediatamente precedentes e seguintes à seção em exame. Também se examinam o estado do conhecimento teológico e o compromisso.

Depois de realizado tudo isso, o intérprete está, pois, em posição de entender o significado da narrativa em seu ambiente de origem. Por fim, com base neste entendimento e usando um processo de dedução, o intérprete procura articular o princípio ou princípios exemplificados na história, princípios que continuam a possuir aplicabilidade ao crente hodierno. Examinaremos duas narrativas para esclarecer este processo de deduzir princípios.

Exemplo N? 1: O "Fogo Estranho" de Nadabe e Abiú (Levítico 10:1-11)

A história de Nadabe e Abiú é interessante não só por causa de sua brevidade, mas também pela severidade e singularidade do juízo que trouxe sobre eles. Ela desperta curiosidade porque não se vê de imediato o que era o "fogo estranho", nem por que trouxe reação tão rápida e poderosa da parte de Deus.

Ações da Narrativa

Arão e seus filhos acabavam de ser consagrados ao sacerdócio (Levítico 8). Depois de ordenar que o fogo ardesse continuamente sobre o altar (6:13), Deus confirmou a oferta sacrificial de Arão por si e pelo povo, acendendo o fogo miraculosamente (9:24).

Nadabe e Abiú, os dois filhos mais velhos de Arão, tomaram "fogo estranho" e fizeram uma oferta de incenso ao Senhor. De imediato o fogo do Senhor os feriu de morte. Moisés profetizou, e a seguir deu ordens aos parentes de Arão que tirassem do acampamento os corpos de Nadabe e de Abiú. Arão e seus filhos restantes, que também eram sacerdotes, receberam ordens para não demonstrar as tradicionais expressões de luto (desgrenhar os cabelos e rasgar as vestes), embora os parentes tivessem permissão de fazê-lo.

Então o Senhor deu a Arão três ordens (Levítico 10:8-10): (1) nem ele nem outro qualquer de seus descendentes sacerdotais deviam tomar bebidas fermentadas antes de entrar para o exercício de seus deveres sagrados; (2) deviam diferençar entre o santo e o profano, entre o imundo e o limpo; e (3) deviam ensinar ao povo todos os estatutos do Senhor.

Significado ou Sentido das Ações
Análise histórico-cultural

Israel acabara de sair da adoração idólatra, mas continuava rodeado de cultuadores idólatras. Havia um constante perigo de sincretismo, isto é, de associar o culto ao verdadeiro Deus com as práticas do culto pagão.

Análise contextual. Este era o dia de investidura de Arão e de seus filhos como iniciadores do sacerdócio levítico. Suas ações seriam, sem a menor dúvida, consideradas como precedentes para os que viessem depois. De igual modo, a aceitação ou rejeição dessas ações por parte de Deus influiria sobre os futuros desenvolvimentos do próprio sacerdócio e das atividades sacerdotais.

Análise léxico-sintática e teológica. Quase todas as religiões antigas, incluindo o judaísmo, consideravam o fogo como símbolo divino. Explica-se o fogo profano ou "estranho" que Nadabe e Abiú ofereceram como fogo que Deus não lhes havia ordenado oferecer (v. 1). Uma expressão semelhante encontra-se em Êxodo 30:9, onde o incenso que não fora preparado segundo as instruções do Senhor é chamado de "incenso estranho".

Uma análise mais completa da seqüência de tempo dos capítulos 9 e 10 mostra que Nadabe e Abiú fizeram a oferta de incenso entre a oferta sacrificial (holocausto) (9:24) e a oferta de manjares que a devia ter seguido (10:12-20), isto é, numa hora que não a designada para a oferta de incenso. Keil e Delitzsch dizem que não é improvável que:

> Nadabe e Abiú tencionavam associar-se aos gritos do povo como uma oferta de incenso para o louvor e glória de Deus, e apresentaram a oferta de incenso não só numa hora imprópria, mas não preparada do fogo do altar, e cometeram tal pecado com esta adoração de iniciativa própria, que foram mortos pelo fogo que saiu de diante de Jeová.
> ... O fogo do Deus santo (Êxodo 14:18), que acabara de santificar o serviço de Arão como agradável a Deus, trouxe destruição a seus dois filhos mais velhos, porque não haviam santificado a Jeová em seus corações, mas haviam eles próprios assumido a responsabilidade de um serviço rebelde.[2]

Esta interpretação é ademais confirmada pela profecia de Deus a Arão, por intermédio de Moisés, imediatamente depois de o fogo haver consumido a Nadabe e Abiú. "Isto é o que o Senhor disse: Mostrarei a minha santidade naqueles que se cheguem a mim, e serei glorificado diante de todo o povo" (v. 3).

Logo depois disto, Deus falou diretamente a Arão, dizendo:

> "Vinho nem bebida forte tu e teus filhos não bebereis, quando entrardes na tenda da congregação, para que não morrais; estatuto perpétuo será isso entre as vossas gerações; para fazerdes diferença entre o santo e o profano e entre o imundo e o limpo" (vv. 9-10).

Alguns comentaristas têm inferido desses versículos que Nadabe e Abiú estavam sob a influência de bebidas embriagantes quando ofereceram o fogo estranho. O texto não nos permite afirmar tal coisa, com absoluta certeza, embora seja provável que Deus estivesse dando mandamentos relacionados com a infração que trouxera juízo de morte sobre Nadabe e Abiú.

A principal lição das três ordens é clara: Deus fora cuidadoso em mostrar o modo pelo qual os israelitas podiam receber expiação por seus pecados e manter com ele um relacionamento reto. Deus havia demonstrado claramente a Arão e seus filhos as diferenças entre santo e profano, limpo e impuro, os quais haviam sido instruídos a ensinar essas coisas ao povo. Nadabe e Abiú, num gesto de obstinação, haviam adotado sua própria forma de adoração, obscurecendo a diferença entre o santo (os mandamentos de Deus), e o profano (os gestos religiosos de iniciativa própria do homem). Esses gestos, se não fossem prontamente reprovados, podiam facilmente conduzir à assimilação de todos os tipos de práticas pagãs pessoais no culto a Deus.

A segunda lição reside no fato de que a reconciliação com Deus depende da graça divina, e não de práticas obstinadas do homem e de sua própria iniciativa. Deus havia dado os meios de reconciliação e de expiação. Nadabe e Abiú tentaram acrescentar algo aos meios divinos de reconciliação. Como tal, eles continuam como exemplo a todos os povos e religiões que colocam suas próprias ações no lugar da graça de Deus como meio de reconciliação e salvação.

Aplicação

Deus é o iniciador de sua misericórdia e graça na relação divino-humana; cabe-nos a responsabilidade de aceitar essa graça. Os crentes, especialmente os que se acham em postos de liderança dentro da comunidade cristã, têm uma responsabilidade oriunda de Deus de ensinar, com todo o cuidado, que a salvação vem pela graça de Deus, e não por via de obras do homem, e a diferençar entre o santo e o profano (v. 10). Crer e atuar como se fôssemos os iniciadores e não os respondentes em nosso relacionamento com Deus, especialmente se ocupamos postos com probabilidade de servir de modelo para o comportamento de outras pessoas, como no caso de Nadabe e Abiú, é trazer sobre nós mesmos a desaprovação divina.

Exemplo Nº 2: Uma Análise do Processo da Tentação

Às vezes uma narrativa proporciona diversos princípios ou verdades que continuam a possuir pertinência, como é o caso da narrativa da primeira tentação, registrada em Gênesis 3:1-6. As ações da narrativa são encontradas num relato direto do texto:

> Mas a serpente, mais sagaz que todos os animais selváticos que o Senhor Deus tinha feito, disse à mulher: É assim que Deus disse: Não comereis de toda árvore do jardim?
> Respondeu-lhe a mulher: Do fruto das árvores do jardim podemos comer, mas do fruto da árvore que está no meio do jardim, disse Deus: Dele não comereis, nem tocareis nele, para que não morrais.
> Então a serpente disse à mulher: É certo que não morrereis. Porque Deus sabe que no dia em que dele comerdes se vos abrirão os olhos e, como Deus, sereis conhecedores do bem e do mal.
> Vendo a mulher que a árvore era boa para se comer, agradável aos olhos, e árvore desejável para dar entendimento, tomou-lhe do fruto e comeu, e deu também ao marido, e ele comeu.

Importância das Ações

A tentação de Eva por Satanás pode ser conceitualizada em seis passos, passos que podemos ver na tentação de Satanás aos crentes de nossos dias. O passo número um encontra-se no primeiro versículo. O hebraico pode ser parafraseado da seguinte forma: "Ora, a serpente era mais matreira do que qualquer criatura selvagem que o Senhor Deus tinha criado. Ela disse à mulher: É verdade que Deus proibiu vocês de comer de *todas* as árvores do jardim?"

Qual é a dinâmica desta passagem? Por que Satanás fez tal pergunta? Obviamente ele sabia o que Deus havia dito a Adão e Eva, do contrário ele não poderia ter feito uma pergunta dessas. Além do mais, deliberadamente ele distorceu o que Deus havia dito: "É verdade que Deus proibiu vocês de comer de *todas* as árvores do jardim?" O ardil de Satanás era óbvio: ele queria que Eva desviasse os olhos das coisas que Deus lhe havia dado para desfrutar, e os concentrasse na única coisa que Deus havia proibido. Com toda a probabilidade havia mil coisas agradáveis que Eva poderia ter feito no jardim, mas agora toda a sua atenção se concentrava na única coisa que ela não podia fazer. A este primeiro passo podemos chamar de *maximizar a restrição*.

Eva estava agora preparada para o próximo passo de Satanás. Em resposta à declaração de Eva de que Deus disse que o come do fruto da árvore resultaria em morte, Satanás declarou com atrevimento: "É certo que não morrereis." Os resultados de tal ação realmente não seriam tão maus conforme Deus havia dito. A isto podemos chamar de *minimizar as conseqüências* do pecado. De dois modos Satanás minimizou tais conseqüências: primeiro, dizendo a Eva que as conseqüências do pecado não seriam tão más como foram declaradas; e, segundo, finalmente concentrando a atenção da mulher sobre a árvore, de modo tão completo, que ela se esqueceu inteiramente das conseqüências (v. 6).

O terceiro passo que Satanás deu podia chamar-se de *dar novo rótulo à ação*. No versículo 5 ele diz: "Porque Deus sabe que no dia em que dele comerdes se vos abrirão os olhos e, como Deus, sereis conhecedores do bem e do mal." Aqui Satanás lançou a suspeita na mente de Eva de que não era porque o fruto da árvore fizesse mal a ela que Deus havia proibido comê-lo, mas porque ele não desejava que ela fosse igual a ele. Satanás foi hábil em tentar remover sua tentação da categoria de pecado, dando-lhe um novo rótulo. Neste caso particular, o comer do fruto foi rerrotulado como um modo de ampliar a consciência, o conhecimento de Eva. Ela se tornaria uma pessoa mais completa se o experimentasse. Antes disto Eva havia pensado no ato proibido como desobediência: agora ela o vê como uma necessidade, se quiser tornar-se uma pessoa completa e madura.

Satanás não perdeu um instante sequer para acrescentar outro aspecto à sua tentação, aspecto que se pode chamar de *misturar o bem com o mal*. O versículo 6 diz: "Vendo a mulher que a árvore era agradável..." A isto podíamos dar o nome de *misturar o pecado com a beleza*. A tentação muitas vezes vem na forma de algo belo, algo que apela para nossos sentidos e desejos. Com freqüência é necessário pensar duas vezes antes de percebermos que um objeto ou um alvo belo na realidade é pecado disfarçado. Neste incidente Eva falhou em discriminar entre o bonito pacote e seu conteúdo pecaminoso.

Finalmente Eva deu o sexto passo: a narrativa diz que ela viu "que a árvore era... desejável para dar entendimento". Em essência, ela engoliu a mentira do diabo. Este passo pode denominar-se *má interpretação das implicações*. Conquanto possa este parecer um ponto menos significativo no processo de interpretação, talvez seja o mais decisivo. Com efeito, ao aceitar a declaração de Satanás, Eva estava chamando a Deus de mentiroso, muito embora ela não tivesse percebido tais implicações. Ela aceitou a Satanás como verdadeiro e a Deus como mentiroso: ao comer o fruto ela estava implicitamente afirmando sua crença em que Satanás estava mais interessado no bem-estar dela do que Deus. O render-se à tentação implicava que ela aceitava a análise de Satanás concernente à situação e não a de Deus.

Aplicação

Muitas das mesmas dinâmicas da tentação de Eva estão presentes nas tentações com que Satanás ataca o crente hoje. Com apenas ligeira introspecção, suas táticas de maximizar a restrição minimizar as conseqüências, dar novo rótulo à ação, misturar o bem e o mal, e misturar o pecado com a beleza podem, com freqüência, encontrar-se operando em nossas vidas.

Diretrizes para a Dedução de Princípios

1. Essa dedução focaliza os princípios implícitos num relato, aplicáveis através dos tempos e das culturas. Os detalhes podem variar, mas os princípios permanecem os mesmos: e.g., Satanás pode continuar a tentar-nos maximizando a restrição, mas não é provável que o faça utilizando-se de uma árvore frutífera.

2. Ao derivar o significado de uma narrativa como base para deduzir princípios, o significado deve sempre desenvolver-se a partir de uma cuidadosa análise histórica e léxica: o significado deve ser aquele que o autor tinha em mente.

3. De uma perspectiva teológica, o significado e os princípios derivados do relato devem estar em consonância com todos os demais ensinos da Escritura. Um princípio dedutivo extraído de uma narrativa que contradiz o ensino de outra passagem bíblica não é válido.

4. Os princípios derivados por este método podem ser normativos ou não-normativos. Por exemplo, é válido dizer que Satanás às vezes emprega os métodos acima para tentar os crentes hoje, mas seria inválido dizer que ele *sempre* usa esses métodos, que ele usa *somente* esses métodos.

5. Os textos têm somente um significado, mas podem ter muitas aplicações. A dedução de princípios é um método de aplicar o significado que o autor tinha em mente, mas as aplicações desse significado podem referir-se a situações que o autor, num tempo e cultura diferentes, nunca imaginou. Por exemplo, o autor do Gênesis tencionava dar-nos um relato da primeira tentação — e não uma análise psicológica do processo da tentação. Para que nossa aplicação do texto (mediante a dedução de princípios) seja válida, é preciso que ela esteja fundamentada na intenção do autor, e seja de todo coerente com ela. Portanto, se a intenção do autor

numa passagem narrativa era descrever um evento de tentação, é válido analisar tal passagem dedutivamente a fim de entender-se a seqüência e o processo dessa tentação especial e então ver como podia ela aplicar-se à nossa vida. Não seria válido generalizar, a partir desse mesmo texto, princípios acerca do modo como a tentação sempre ocorre, visto que o autor não tencionava que o texto servisse de base para doutrina normativa.

Tradução de Mandamentos Bíblicos de uma Cultura para Outra

Em 1967 a Igreja Presbiteriana Unida nos Estados Unidos adotou uma nova confissão de fé que continha a seguinte declaração:

> As Escrituras, dadas sob a orientação do Espírito Santo, são, não obstante, palavras de homens, condicionadas pela língua, formas de pensamento, e estilos literários dos lugares e tempos em que foram escritas. Refletem pontos de vista da vida, da história e do cosmo, correntes na época. A igreja tem, portanto, a obrigação de tratar as Escrituras com entendimento literário e histórico. Visto que Deus proferiu sua palavra em situações culturais diversas, a igreja confia em que ele continuará a falar através das Escrituras num mundo em mudança e em toda forma de cultura humana.

Conquanto essa declaração obviamente trate de alguns problemas culturais básicos, ela não dá diretrizes específicas para interpretar as Escrituras em "situações culturais diversas". Duas importantes perguntas a que ela não responde, são: (1) Até que ponto os mandamentos bíblicos devem ser entendidos como condicionados culturalmente e, portanto, não normativos para o crente hodierno? e (2) Que tipo de metodologia deve aplicar-se para traduzir mandamentos bíblicos dessa cultura para a nossa?

Numa extremidade do espectro estão os intérpretes que crêem que muitas vezes tanto o princípio bíblico como o mandamento comportamental que expressa esse princípio deveriam ser modificados à luz das transformações históricas. Na outra extremidade estão os que crêem que os princípios bíblicos e os mandamentos comportamentais que os acompanham sempre deveriam ser aplicados literalmente na igreja hoje. Muitos crentes adotam uma posição intermediária entre essas duas perspectivas.

A maioria das igrejas evangélicas tem, por suas ações, aceitado implicitamente que alguns mandamentos bíblicos não devem ser adotados por atacado em nosso tempo e cultura. Por exemplo, o mandamento de saudar uns aos outros com ósculo santo aparece cinco vezes no Novo Testamento[3], e não obstante poucas são as igrejas que observam esta ordem hoje. De igual modo, poucas igrejas protestantes observam o mandamento para as mulheres usarem véu quando oram (1 Coríntios 11:5). Poucas igrejas continuam a prática do lava-pés de que fala João 13:14, porque as culturas e os tempos em mudança diminuíram a necessidade e significado da prática.

Mais controverso ainda, algumas igrejas evangélicas já têm mulheres que pregam, embora Paulo tenha declarado em 1 Timóteo 2:12 não permitir que mulher alguma ensinasse ou tivesse autoridade sobre os homens. Muitos evangélicos, homens e mulheres igualmente, estão-se perguntando se os tradicionais papéis de esposo-esposa delineados no capítulo 5 de Efésios e em outras passagens devem continuar em nossa cultura e época. Perguntas semelhantes estão sendo levantadas sobre muitos outros problemas também.

Em 1973 o "Ligonier Valley Study Center" convocou uma conferência para tratar da pergunta: "Está a Escritura culturalmente amarrada?" Entre os oradores desta conferência estavam alguns dos eminentes eruditos evangélicos de nossos tempos. A dificuldade e complexidade do problema demonstram-se pelo fato de que o principal resultado da conferência ter sido o refinamento da pergunta, em vez de respostas concretas. Por conseguinte, trata-se de uma pergunta de imensa importância, não obstante as respostas não serem fáceis e ainda não se ter chegado a um acordo.

Se adotarmos, como o tem feito a maioria dos cristãos evangélicos, a opinião de que alguns mandamentos bíblicos são limitados culturalmente enquanto outros não, então se faz necessário elaborar critérios para diferençar entre os que se aplicam literalmente e os que não se aplicam. Se nosso procedimento não deve ser simplesmente arbitrário, no qual descartamos os mandamentos e os princípios dos quais discordamos e retemos os que aceitamos, devemos desenvolver critérios (a) cuja lógica possa ser demonstrada, (b) que possam ser uniformemente aplicados a uma variedade de problemas e questões, e (c) cuja natureza é extraída da Escritura ou, pelos menos, seja consoante com ela.

Estabelecer uma Estrutura Teorética para Analisar o Comportamento e os Mandamentos Comportamentais

Primeiro postulado: Um comportamento único geralmente ter

Aplicação da Mensagem Bíblica 173

significado ambíguo para o observador. Por exemplo, se da janela de meu gabinete vejo lá fora um homem subindo a rua, não sei se ele (a) está caminhando como exercício, (b) se está a caminho de um ponto de ônibus, ou (c) se está saindo de casa depois de uma briga com a esposa.

Segundo postulado: O comportamento assume maior significado para o observador à medida que ele investiga o seu contexto. À medida que observo mais intimamente o homem do exemplo acima, devido à sua idade, roupa, pasta, e livros, formulo a hipótese de que é um estudante que vai para a escola. Contudo, observo também uma mulher, evidentemente sua esposa (devido aos estilos semelhantes de vestimenta), que o segue cerca de quatro metros e meio atrás, caminhando com a cabeça baixa. De imediato me pergunto se estiveram brigando, e ela o segue numa tentativa de apaziguá-lo depois de ele ter saído irado de casa. Imediatamente descarto esta hipótese ao perceber que os estilos de roupa indicam que este casal pertence a uma cultura onde é normal que a esposa caminhe a certa distância atrás do marido em público.

Terceiro postulado: O comportamento que tem certo significado numa cultura pode ter significação totalmente diverso em outra. Na sociedade ocidental, o fato de uma mulher seguir o marido a uma distância de quatro metros e meio, com a cabeça baixa, geralmente indicaria um problema de relacionamento entre eles. Noutra cultura, este mesmo comportamento pode ser considerado normal.

Examinemos as implicações desses três postulados.

Primeira, o significado de um único comportamento não pode ser averiguado à parte de seu contexto. Analogamente, o significado (e o princípio que está por trás) de um mandamento comportamental na Bíblia não pode ser averiguado à parte do contexto desse mandamento.

Segunda, o significado que está por trás de determinado comportamento pode ser averiguado com maior exatidão se temos mais conhecimento acerca do contexto dessa conduta. De igual modo, quanto mais sabemos do contexto de um mandamento comportamental, se não há variação alguma, tanto mais podemos averiguar com precisão o significado (e o princípio por ele expresso) desse mandamento.

Terceira, visto que determinado comportamento numa cultura pode ter significado diferente em outra, talvez seja necessário mudar a expressão comportamental de um mandamento bíblico a fim de traduzir o princípio que está por trás desse mandamento de uma cultura e tempo para outra cultura e tempo.

É preciso diferençar dois aspectos do mandamento bíblico: o comportamento especificado, e o princípio expresso mediante tal comportamento. Por exemplo, a saudação com ósculo santo (comportamento) expressava amor fraternal (princípio).

Ao fazer aplicações transculturais de mandamentos bíblicos, há três alternativas a considerar:

1. Reter tanto o princípio como sua expressão comportamental.
2. Reter o princípio mas propor uma mudança na forma como esse princípio é expresso comportamentalmente em nossa cultura.
3. Mudar tanto o princípio como sua expressão comportamental, supondo que ambos estavam presos à cultura e, portanto, já não são aplicáveis.

Como exemplo, vejamos o costume de as esposas usarem véu como expressão de submissão espontânea a seus maridos (1 Coríntios 11:2-16). Vários comentaristas têm adotado três métodos:

1. Reter tanto o princípio de submissão como sua expressão mediante o uso de véus.
2. Reter o princípio de submissão, mas substituir o véu por outra conduta que mais significativamente expresse a submissão em nossa cultura.
3. Substituir tanto o princípio de submissão como todas as expressões de submissão por uma filosofia mais igualitária, crendo que o conceito de hierarquia dentro da família está jungido à cultura.

Portanto, a análise das ordens bíblicas em (a) princípios, e (b) comportamentos que expressem tais princípios, possui pouco valor, a menos que haja meios de diferençar entre os princípios e comportamentos culturais e os transculturais.

Algumas Diretrizes Preliminares para Diferençar entre a Restrição Cultural e os Princípios e Mandamentos Transculturais

As diretrizes seguintes são chamadas de preliminares por dois motivos: Primeiro, são incompletas no sentido de que não cobrem todos mandamentos e princípios bíblicos, e, segundo, são a esta altura provisórias, com a intenção de iniciar a discussão e mais adiante apresentar a exploração do problema.

Diretrizes para Discernir se os Princípios São Transculturais ou Culturais

Primeiro, determinar o motivo dado para o princípio. Por exemplo, devemos amar-nos uns aos outros *porque* Deus nos amo primeiro (1 João 4:19). Não devemos amar o mundo e seus valores, *porque* o amor do mundo e o amor de Deus se excluem mutuamente (1 João 2:15).

Segundo, se o motivo de um princípio for limitado pela cultura, então o princípio também poderá sê-lo. Se o motivo tem sua base na natureza imutável de Deus (sua graça, seu amor, sua natureza moral, ou sua ordem criada), então o próprio princípio provavelmente não mudará.

Diretrizes para Discernir se os Mandamentos (Aplicações dos Princípios) São Transculturais ou Culturais

Primeiro, quando um princípio transcultural está corporificado numa forma que fazia parte dos hábitos culturais comuns da época, a forma *pode* ser modificada, muito embora o princípio permaneça inalterado. Por exemplo, Jesus demonstrou o princípio de que devemos ter uma atitude de humildade e de disposição para servir-nos uns aos outros (Marcos 10:42-44) ao lavar os pés dos discípulos (João 13:12-16), um costume comum da época. Retemos o princípio, embora seja possível que haja outros meios de expressar esse princípio de modo mais significativo em nossa cultura.

Tiago argumentou, também, que os crentes não devem fazer acepção de pessoas dentro da comunidade cristã de modo que os ricos se assentem em cadeiras e os pobres no chão (Tiago 2:1-9). Retemos o princípio da não acepção, mas sua aplicação assume dimensões diferentes em nosso tempo e cultura.

Segundo, quando uma prática aceita fazia parte de uma cultura pagã e a Escritura proibia tal prática, com toda probabilidade será proibida também em nossa cultura, especialmente se o mandamento está alicerçado na natureza moral de Deus. Exemplos de práticas que eram partes aceitas de culturas pagãs mas proibidas na Bíblia incluem a fornicação, o adultério, o espiritismo, o divórcio e a homossexualidade.

Terceiro, é importante definir quais os beneficiários que o mandamento tinha em mira, e aplicá-lo discriminadamente a outros grupos. Se um mandamento foi dado tão-só a uma igreja, isto *pode* indicar que ele pretendia ser apenas uma prática local em vez de universal.

Alguns Passos Propostos na Tradução de Mandamentos Bíblicos de uma Cultura e Tempo para Outra Cultura e Tempo

1. *Discernir tão precisamente quanto possível o princípio por trás do mandamento comportamental dado.* Por exemplo, os cristãos devem

julgar o pecado individual em sua comunidade local cometido por crentes, porque se não for corrigido, o mal exercerá efeito sobre toda a comunidade (1 Coríntios 5:1-13, especialmente o v. 6).

2. *Discernir se o princípio é permanente ou limitado a uma época (transcultural ou cultural).* Na última seção apresentamos algumas sugestões para se fazer isto. Uma vez que a maior parte dos princípios bíblicos está arraigada na natureza imutável de Deus, parece deduzir-se que o princípio deve ser considerado transcultural, a menos que haja evidência contrária.

3. *Se um princípio é transcultural, estude a natureza da aplicação comportamental em nossa cultura.* A aplicação comportamental dada então será apropriada para nossos dias, ou será ela uma esquisitice anacrônica?

É muito grande o perigo de conformar a mensagem bíblica ao nosso molde cultural. Há ocasiões em que a expressão de um princípio dado por Deus levará os cristãos a comportar-se de um modo diferente dos não-cristãos (Romanos 12:2), mas não desnecessariamente, não por amor à diferença em si. O critério para discernir se um mandamento comportamental deve aplicar-se à nossa cultura *não* há de ser se ele se conforma ou não às práticas culturais modernas, mas se ele expressa ou não, adequada e precisamente, o princípio intencional de Deus.

4. *Se a expressão comportamental de um princípio deve ser mudada, proponha um equivalente cultural que expresse adequadamente o princípio de origem divina que está por trás do mandamento primitivo.* Por exemplo, J. B. Phillips acha que "Saudai-vos uns aos outros com cordial aperto de mão" pode ser um bom equivalente cultural para o Ocidente de "Saudai-vos uns aos outros com ósculo santo".

Se não houver equivalente cultural, talvez valesse a pena considerar a *criação* de um novo comportamento cultural que expresse de modo significativo os princípios envolvidos. (De um modo semelhante, mas não estritamente análogo, algumas das mais recentes cerimônias de casamento expressam os mesmos princípios que os mais tradicionais, porém em novas fórmulas muito criativas e significativas.)

5. *Se depois de cuidadoso estudo a natureza do princípio bíblico e o mandamento que o acompanha continuam em dúvida, aplique o preceito bíblico da humildade.* Pode haver ocasiões em que, mesmo depois de cuidadoso estudo de determinado princípio e de sua expressão comportamental, ainda continuamos em dúvida se devemos considerá-lo transcultural ou cultural. Se temos de decidir sobre tratar o mandamento de um modo ou de outro, mas não temos meios conclusivos para tomar a decisão, pode ser proveitoso o princípio

da humildade. Afinal de contas, seria melhor tratar um princípio como transcultural e levar a culpa de ser excessivamente escrupuloso em nosso desejo de obedecer a Deus? Ou seria melhor tratar um princípio transcultural como sujeito à cultura e ser culpado de quebrar uma exigência transcendente de Deus? A resposta deveria ser óbvia.

Se este princípio de humildade estiver isolado das demais diretrizes mencionadas acima, com facilidade ele poderia ser mal interpretado como base para conservadorismo desnecessário. O princípio só deve ser aplicado depois de havermos cuidadosamente tentado determinar se ele é transcultural ou cultural, e a despeito de nossos melhores esforços, o problema ainda continua em dúvida. Esta é uma diretriz de último recurso e seria destrutiva se usada como primeiro.

Resumo do Capítulo

1. Dedução de princípios: Com base numa análise histórico-cultural, contextual, léxico-sintática e teológica da porção narrativa, averiguar mediante estudo dedutivo (1) o(s) princípio(s) que a passagem tencionava ensinar, ou (2) os princípios (verdades descritivas) exemplificados na passagem que continuam aplicáveis ao crente de nossos dias.
2. Transmissão transcultural de mandamentos bíblicos:
   a. Discernir, tão precisamente quanto possível o princípio que está por trás do mandamento.
   b. Discernir, mediante exame do motivo dado para o princípio, se este é transcultural ou cultural.
   c. Se um princípio é transcultural, determinar se a mesma aplicação comportamental expressa ou não o princípio tão adequada e precisamente quanto o princípio bíblico.
   d. Se a expressão comportamental de um princípio deve ser mudada, proponha um equivalente cultural que expresse o princípio de origem divina por trás do mandamento.
   e. Se, depois de cuidadoso estudo, a natureza do princípio bíblico e o mandamento que o acompanha permanecem em dúvida, aplique o preceito bíblico da humildade.

Exercícios

(Como nos demais capítulos, alguns destes exercícios aplicam técnicas hermenêuticas discutidas em capítulos anteriores.)

PC58: Baseando sua opinião em 1 Coríntios 6:1-8, um pastor declarou ser errado um cristão processar outro crente. Hermeneuticamente isto é válido? Por que sim, ou por que não?

PC59: Os pacifistas às vezes têm usado Mateus 26:52 como parte de seu argumento de que os cristãos não devem envolver-se em atividades militares. Do ponto de vista de hermenêutica válida, que princípios e/ou mandamentos comportamentais podem ser derivados desta passagem?

PC60: Em Deuteronômio 19:21 o mandamento de Deus é "olho por olho, dente por dente". Jesus, dizendo cumprir a lei, afirmou: "Não resistais ao perverso; mas a qualquer que te ferir na face direita, volta-lhe também a outra" (Mateus 5:39). Como você concilia essas duas declarações?

PC61: Paulo diz, em 1 Timóteo 2:12, que não permite que uma mulher ensine ou que tenha autoridade sobre os homens. Usando o modelo apresentado neste capítulo, discuta estas perguntas: (1) Qual era, para Timóteo, o significado deste texto? (2) Que aplicação deveria ele ter para nós hoje? (3) Que implicações sua opinião tem quanto a (a) professoras de escola dominical, (b) capelãs de hospitais, (c) professoras de seminário, (d) pastoras, e (e) a missionárias?

PC62: Há três tipos principais de governo eclesiástico: o episcopal, o presbiteriano, e o congregacional — e algumas congregações adotam um modelo misto. Investigue como funciona cada um desses tipos, depois faça um estudo dos termos *bispo*, *presbítero*, e *diácono* usados no Novo Testamento. Quais são as implicações de seu estudo do Novo Testamento quanto aos modelos de governo eclesiástico?

PC63: Alguns crentes usam Atos 4:32-35 como base para a vida cristã comunal hoje. Que considerações hermenêuticas são pertinentes a uma aplicação tal deste texto?

PC64: Baseando seu ponto de vista em Efésios 6:1-3, um notável professor cristão ensina que os filhos nunca devem contrariar o desejos dos pais, mas devem permitir que Deus os dirija por meio deles. É válido este entendimento do texto conforme Paulo o deu pela primeira vez? Se for, é válido aplicá-lo do mesmo modo hoje em nossa cultura? Se a sua resposta for afirmativa a ambas as perguntas acima, algum dia esta obrigação terá fim?

PC65: Com a ascensão do índice de divórcios no século vinte muitas igrejas se defrontam com a pergunta de que papéis, caso haja algum, as pessoas divorciadas e casadas de novo podem desempenhar nas funções de liderança e serviço da igreja. Acha você

Aplicação da Mensagem Bíblica 179

que o ensino de 1 Timóteo 3:2, 12 se aplica a este problema?

PC66: Muitas denominações conservadoras crêem que os cristãos deveriam abster-se totalmente de bebidas alcoólicas. Outras acreditam que a Bíblia ensina a moderação. Estude os versículos pertinentes ao uso de bebidas alcoólicas. Há princípios bíblicos além das passagens que tratam especificamente do álcool que podiam aplicar-se a este problema?

PC67: Como prefácio à sua exposição de um texto, disse um ministro: "Não obtive esta mensagem de nenhum outro homem. Não consultei comentários: ela me veio diretamente *do Livro!*" Comente este método de preparação expositiva.

PC68: Certo ministro pregou um sermão sobre Filipenses 4:13 ("Tudo posso naquele que me fortalece"). O título do sermão era: "O Cristão Onipotente." Contudo, desde logo se evidenciou que nem ele nem outro cristão qualquer eram onipotentes do modo como esta palavra era geralmente entendida. Que princípio hermenêutico estava este sermão violando? Qual é um entendimento hermeneuticamente válido desse versículo?

---

1. Não pretende esta declaração afirmar que as porções narrativas nunca ensinam doutrina direta e explicitamente. As histórias que os Evangelhos relatam do ministério magisterial de Jesus são exemplos de porções narrativas da Escritura que contêm somas significativas de ensino doutrinal direto, explícito. Os trechos narrativos de homens atuando na qualidade profética de porta-vozes de Deus muitas vezes contêm ensino doutrinal.
2. C. F. Keil & F. Delitzsch, *Commentary on the Old Testament* (Grand Rapids: Eerdmans, 1973), Vol. 1, p. 351.
3. Romanos 16:16; 1 Coríntios 16:20; 2 Coríntios 13:12; 1 Tessalonicenses 5:26; 1 Pedro 5:14.

Epílogo

A Tarefa do Ministro

A tarefa do ministro, no que se relaciona com o conteúdo deste texto, é dupla: (1) ele tem de ser ministro da Palavra de Deus, e (2) deve ministrar a Palavra de Deus com exatidão. Dou minha aprovação às palavras de Ramm:

> O pregador é um *ministro da Palavra de Deus*.... Sua tarefa fundamental na pregação não é ser inteligente ou didático, solene ou profundo, mas *ministrar a verdade de Deus*. Os apóstolos foram chamados *ministros da palavra* (Lucas 1:2). Os apóstolos foram ordenados como *testemunhas de Jesus Cristo* (Atos 1:8). A tarefa deles era pregar o que tinham ouvido e visto com referência à vida, morte e ressurreição de Jesus Cristo. O presbítero (pastor) deve afadigar-se *na palavra e no ensino* (1 Timóteo 5:17). O que Timóteo deve transmitir a outros é ... *a verdade do Cristianismo* que ele ouviu de muitos cristãos (2 Timóteo 2:2). Paulo instrui a Timóteo ... a "pregar a *palavra*" (2 Timóteo 4:2. Grego: *Kerukson ton logon*). Pedro diz ser presbítero em virtude de haver *testemunhado* os sofrimentos de nosso Senhor (1 Pedro 5:1).
>
> O servo de Cristo do Novo Testamento não era livre para pregar conforme lhe aprouvesse, mas era obrigado a pregar a verdade do Cristianismo, pregar a palavra de Deus, e ser testemunha do evangelho.[1]

O servo de Cristo deve fazer mais do que pregar a Palavra. É possível ser fervoroso, eloquente e ter excelente conhecimento das Escrituras e, não obstante, pregá-la com inexatidão ou ficar aquém de sua plena verdade (e.g., Apolo em Atos 18:24-28). Paulo ordena a Timóteo: "Procura apresentar-te a Deus, aprovado, como obreiro que não tem de que se envergonhar, que *maneja bem* a palavra da verdade" (2 Timóteo 2:15). Um obreiro se sentiria envergonhado se se descobrisse incompetência ou desleixo em seu trabalho. Paulo diz a Timóteo que o modo de não se envergonhar e de ser aprovado diante de Deus é *manejar bem* a Palavra da verdade. Por conseguinte, a dupla tarefa do pastor, conforme definida no versículo acima, é (1) pregar a Palavra de Deus, e (2) interpretá-la com exatidão.

Tipos de Pregação em Nossos Dias

A maior parte da pregação feita hoje em dia pode ser conceitualizada no seguinte gráfico:

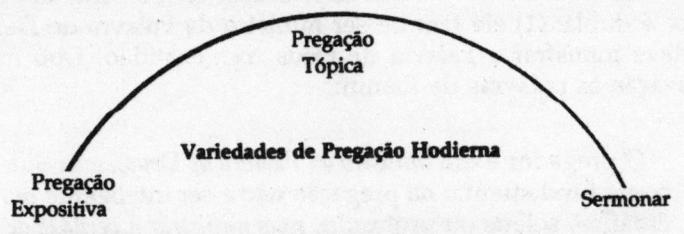

```
                    Pregação
                     Tópica

         Variedades de Pregação Hodierna
  Pregação
  Expositiva                           Sermonar
```

A *pregação expositiva* começa com determinada passagem e investiga-a, empregando o processo que temos rotulado de análises histórico-cultural, contextual, léxico-sintática, teológica e literária. Seu enfoque primário é uma exposição do que Deus tencionava dizer nessa passagem, levando a uma aplicação desse significado na vida dos cristãos de nossos dias.

O *sermonar* começa com uma idéia na mente do pregador — um problema social ou político, mas pertinente, ou uma introspecção teológica ou psicológica — e amplia esta idéia num sermão. Como parte do processo, acrescentam-se textos bíblicos aplicáveis, à medida que vêm à mente ou conforme encontrados com o auxílio de recursos de estudo. O enfoque básico deste método é a elaboração de uma idéia humana em formas coerentes com o ensino geral da Bíblia nessa área.

A *pregação tópica* começa pela seleção de um tópico relacionado com a Escritura de uma forma ou de outra (e.g., temas bíblicos, doutrinas, personagens da Bíblia). Se o sermão é preparado pela seleção de passagens bíblicas pertinentes e pelo desenvolvimento de um esboço baseado em exposição dessas passagens, esta pregação poderia denominar-se "tópico-expositiva". Se o esboço do sermão se desenvolve mediante idéias que vêm à mente do pre gador e em seguida são corroboradas pela ligação com um versículo bíblico pertinente, poderíamos dar a esta pregação o título de "tópico-sermonal".

A maioria dos sermões pregados hoje em dia parece ser da variedade tópico-sermonal ou sermonar. Se a proporção da pregação expositiva para a sermonal serve de indicação, a maioria das escolas de teologia parece não estar preparando seus alunos nas técnicas necessárias à pregação expositiva, ou não os está estimulando a usar a pregação expositiva como uma alternativa para o sermonar.

Da perspectiva daquele que é antes de tudo um "consumidor" e não um "produtor" de sermões, eu gostaria de oferecer algumas observações pessoais sobre certas similaridades e diferenças que vejo entre o sermonar e a pregação expositiva.

Sermonar e Pregação Expositiva: Uma Comparação

As similaridades desses dois métodos de pregação incluem, entre outras coisas, o fato de que ambos são feitos por homens inteligentes, tementes a Deus, comprometidos a alimentar o rebanho que Deus lhes confiou. Ambos os métodos são empregados por homens que exprimem bem as suas idéias, são eloqüentes, e pregam com convicção e dignidade. E ambos parecem ser usados por Deus para nutrir seu rebanho, se o tamanho da congregação for, de alguma forma, uma medida válida.

Existem algumas diferenças também. Em primeiro lugar, uma diferença básica no procedimento conforme acima mencionado. A pregação expositiva começa com uma passagem bíblica, expõe esse texto, e depois o aplica à vida dos ouvintes. O sermonar começa com uma idéia na mente do pregador que a transforma num esboço de sermão, com referências bíblicas que às vezes parecem reforçar um ponto especial. (Essas diferenças são mais relativas do que absolutas, e variam de pregador para pregador, e às vezes de sermão para sermão do mesmo pregador.)

Em segundo lugar, com freqüência há diferença nos métodos hermenêuticos. Ao ouvir mensagens sermonais, tenho tido a experiência mais ou menos comum de: (a) ouvir um versículo ou uma parcela de um versículo lida como o texto, seguida algumas vezes de uma mensagem que não poderia ser derivada desse texto se ele tivesse sido lido dentro de seu contexto, ou (b) ouvir a leitura de uma passagem que em realidade não se relaciona com o subseqüente sermão. Isto não quer dizer que a eisegese se limita ao sermonar e a exegese à pregação expositiva. Contudo, quando um ministro prepara uma série de mensagens extraídas de determinado livro da Bíblia, um estudo do material antes e depois de uma passagem apresenta muitos salvaguardas contra a interpretação eisegética. Quando um pregador tenta encontrar uma passagem que corrobore suas idéias já estabelecidas, há uma tentação maior de usar a passagem que representa um paralelo verbal dessa idéia, mesmo que não seja um paralelo real.

Em terceiro lugar, há diferença entre a imperiosidade bíblica da pregação expositiva e o sermonar. Não se deve confundir a imperiosidade ou força da autoridade bíblica com a capacidade de persuasão humana. Essa capacidade depende de articulação, uso vívido de ilustrações, inflexão verbal, uso de equipamento eletrônico, amplificador etc., e não se relaciona com o tipo de sermão — pregação expositiva ou sermonar. Contudo, o sermonar, não importa quão brilhante seja do ponto de vista da capacidade humana de persuadir, permanece na base uma palavra de homem para homem. Embora feito por um pregador que conta com o elevado respeito da congregação, suas teorias psicológicas, sociais, ou políticas têm de competir com as teorias de centenas de outras "autoridades" que também exercem influência em sua congregação.

Para falar com a autoridade de um, "Assim diz o Senhor", o ministro deve expor a Palavra do Senhor. A autoridade tonitruante de Moisés, Jeremias, Amós, Pedro e Paulo veio de falarem eles conforme o Espírito Santo os movia a falar (2 Pedro 1:21). Não é por chapinhar em psicologia corrente e comentar nossas especulações com um versículo da Palavra de Deus que iremos readquirir o senso da autoridade divina. O único modo de readquirir a autoridade de um "Assim diz o Senhor" é voltar a uma exposição de sua Palavra.

Finalmente, não há promessa alguma na Escritura de que Deus abençoará o sermonar humano. Deus promete, isso sim, abençoar a proclamação de sua Palavra:

> Porque, assim como descem a chuva
>   e a neve dos céus,
> e para lá não tornam,
>   sem que primeiro reguem a terra
> e a fecundem e a façam brotar,
>   para dar semente ao semeador
> e pão ao que come,
>   assim será a palavra que sair da minha boca;
> não voltará para mim vazia,
>   mas fará o que me apraz,
> e prosperará naquilo para que a designei.
>
>   (Isaías 55:10-11)

Sumário

Os Processos Envolvidos na Interpretação e na Aplicação de um Texto Bíblico

I. Análises Histórico-Cultural e Contextual
   A. Determinar o meio ambiente geral histórico e cultural do escritor e seus leitores.
      1. Determinar as circunstâncias históricas gerais.
      2. Estar atento às circunstâncias e normas culturais que acrescentam significado a determinadas ações.
      3. Discernir o nível de compromisso espiritual dos leitores.
   B. Determinar os propósito(s) do autor ao escrever um livro.
      1. Notar as declarações explícitas ou frases repetidas.
      2. Observar seções parenéticas ou hortativas.
      3. Observar os problemas omitidos ou focalizados.
   C. Entender como a passagem se enquadra em seu contexto imediato.
      1. Apontar os principais blocos de material no livro e mostrar de que modo se encaixam num todo coerente.
      2. Mostrar de que modo a passagem sob consideração se ajusta ao fluxo de argumentos do autor.
      3. Determinar a perspectiva que o autor tenciona comunicar — numenológica (o modo como as coisas são realmente) ou fenomenológica (o modo como as coisas parecem).
      4. Diferençar entre verdade descritiva e prescritiva.
      5. Diferençar entre os detalhes incidentais e o núcleo de ensino de uma passagem.
      6. Apontar as pessoas ou categoria de pessoas às quais se dirige uma passagem particular.

II. Análise Léxico-sintática
   A. Apontar a forma literária geral.
   B. Investigar o desenvolvimento do tema e mostrar como a passagem em consideração se encaixa no contexto.

C. Indicar as divisões naturais (parágrafos e sentenças) do texto.
D. Apontar os conectivos dentro dos parágrafos e sentenças e mostrar como auxiliam na compreensão da progressão do pensamento do autor.
E. Determinar o significado isolado das palavras.
   1. Apontar os significados múltiplos que uma palavra possuía no seu tempo e cultura.
   2. Determinar o significado único que o autor tinha em mente em dado contexto.
F. Analisar a sintaxe a fim de demonstrar de que modo ela contribui para a compreensão de uma passagem.
G. Colocar os resultados de sua análise em palavras não-técnicas e fáceis que comuniquem com clareza ao leitor hodierno o significado que o autor tinha em mente.

III. Análise Teológica
   A. Determinar seu próprio ponto de vista da natureza do relacionamento de Deus com o homem.
   B. Apontar as implicações deste ponto de vista para a passagem que você está estudando.
   C. Avaliar a extensão do conhecimento teológico disponível ao povo daquela época (a "analogia da Escritura").
   D. Determinar o significado que a passagem possuía para seus primeiros beneficiários à luz do conhecimento que tinham.
   E. Identificar o conhecimento adicional acerca deste tópico que hoje está ao nosso alcance em virtude de posterior revelação (a "analogia da fé").

IV. Análise Literária
   A. Procurar referências explícitas que indiquem a intenção do autor com referência ao método que ele adotava.
   B. Se o texto não exibe explicitamente a forma literária da passagem, estudar as características da passagem dedutivamente para averiguar sua forma.
   C. Aplicar os princípios dos artifícios literários com cuidado, mas não de modo rígido.
      1. Símile
         a. Característica: uma comparação expressa.
         b. Interpretação: geralmente um único ponto de similaridade ou de contraste.
      2. Metáfora
         a. Característica: uma comparação expressa.

b. Interpretação: geralmente um único ponto de similaridade.
3. Provérbio
   a. Característica: comparação expressa ou tácita.
   b. Interpretação: geralmente um único ponto de similaridade ou de contraste.
4. Parábola
   a. Características: um símile ampliado — as comparações são expressas e separadas; o relato e seu significado são separados conscientemente.
   b. Interpretação: determinar o significado central do relato e mostrar como os detalhes se enquadram naturalmente nesse ensino central.
5. Alegoria
   a. Características: uma metáfora ampliada — as comparações são implícitas e entremescladas; a história e seu significado andam paralelamente.
   b. Interpretação: determinar os pontos múltiplos de comparação que o autor tinha em mente.
6. Tipo
   a. Características:
      (1) Deve haver alguma semelhança ou analogia notável entre o tipo e seu antítipo.
      (2) Deve haver alguma evidência de que o tipo foi indicado por Deus como representação da coisa tipificada.
      (3) Um tipo deve prefigurar algo no futuro.
      (4) Classes de tipo e seu antítipo: pessoas, eventos, instituições, ofícios e ações.
   b. Interpretação:
      (1) Determinar o significado dentro do tempo e cultura tanto do tipo como do seu antítipo.
      (2) Pesquisar o texto para encontrar o(s) ponto(s) de correspondência entre o tipo e seu antítipo conforme se relacionam com a história da salvação.
      (3) Notar os importantes pontos de diferença entre o tipo e seu antítipo.
7. Profecia
   a. Características:
      (1) Estar cônscio de que o estilo geralmente é figurativo e simbólico.
      (2) Estar atento aos elementos sobrenaturais como informação comunicada pela proclamação de an-

jos, por visões, ou por outros meios sobrenaturais.
(3) Observar a ênfase sobre o mundo invisível por trás da ação do mundo visível.

b. Interpretação:
(1) Determinar a situação histórica específica que cerca a composição do escrito. Estudar a história interveniente para ver se a profecia foi cumprida ou não.
(2) Estudar passagens paralelas ou outros ciclos dentro da mesma profecia para obter mais informação.
(3) Analisar se essa passagem faz parte de uma predição progressiva, se é passível de cumprimento evolutivo, ou se inclui contração profética.

V. Comparação com Outros
  A. Compare sua análise com a de outros intérpretes.
  B. Modificar, corrigir, ou ampliar sua interpretação de acordo com a necessidade.

VI. Aplicação
  A. Dedução de princípios: Baseado numa análise histórico-cultural, contextual, léxico-sintática e teológica da porção narrativa, verificar mediante estudo dedutivo (1) o(s) princípio(s) que a passagem tencionava ensinar, ou (2) os princípios (verdades descritivas) exemplificados na passagem, que permanecem aplicáveis ao crente de nossos dias.
  B. Transmissão transcultural de mandamentos bíblicos.
    1. Discernir tão exatamente quanto possível o princípio por trás da ordem.
    2. Discernir se o princípio é transcultural ou cultural, mediante exame do motivo dado para o princípio.
    3. Se um princípio é transcultural, determinar se a mesma aplicação comportamental expressa ou não o princípio tão adequada e exatamente quanto o bíblico.
    4. Se a expressão comportamental de um princípio deve ser mudada, proponha um equivalente cultural que expresse o princípio divino por trás do mandamento primitivo.

Bibliografia

Adams, J. McKee. *Biblical Backgrounds*. Nashville: Broadmans, 1934.
Althaus, P. *Theology of Martin Luther*. Filadélfia: Fortress, 1966.
Baly, Denis A. *Geography of the Bible*. Nova ed. rev. Nova York: Harper & Row, 1974.
Barrett, Charles K. *Luke the Historian in Recent Research*. Londres: Epworth Press, 1961.
Barrett, Charles K. red. *New Testament Background: Selected Documents*. Nova York: Harper & Row, 1961.
Bauer, Walter. *Greek-English Lexicon of the New Testament and Other Early Christian Literature*. Trad. e red. W. F. Arndt e F. W. Gingrich, 2ª ed. rev. e aument. Chicago: University of Chicago Press, 1979.
Berkhof, Louis. *Principles of Biblical Interpretation*. Grand Rapids: Baker, 1950.
—— *Systematic Theology*, 4ª ed. rev. e ampliada (Grand Rapids: Eerdmans, 1949).
Blackwood, Andrew. *Expository Preaching for Today*. Reimpressão. Grand Rapids: Baker, 1975.
Blass, Friedrich W. e Albert Debrunner. *Greek Grammar of the New Testament and Other Early Christian Literature*. Chicago: U. of Chicago Press, 1961.
Broadus, John A. *Treatise on the Preparation and Delivery of Sermons*. Ed. rev. Nova York: Harper & Row, 1944. Brooks, Phillips. *Lectures on Preaching*. Londres: H. R. Allenson, 1877.
Brown, Francis, S. R. Driver, e Charles A. Briggs. *Hebrew and English Lexicon*. Nova York: Oxford, 1952.
Bruce. F. F. *The New Testament Documents: Are They Reliable?* 5ª ed. rev. Grand Rapids: Eerdmans, 1960.
Bullinger, E. W. *Critical Lexicon and Concordance to the English and Greek New Testament*. Grand Rapids: Zondervan, 1975.
—— *Figures of Speech Used in the Bible*. Grand Rapids: Baker, s/d.
Buswell, James Oliver, Jr. *Systematic Theology of the Christian Religion*. 2 vols. Grand Rapids: Zondervan, 1962-63.

Chafer, L. S. *Dispensationalism*. Ed. rev. Dallas: Dallas Seminary Press, 1951.

Clouse, Robert. *The Meaning of the Millennium: Four Views*. Downers Grove, Ill.: Inter-Varsity, 1977.

Costas, Orlando. *The Church and Its Mission*. Nova ed. Wheaton: Tyndale, 1975.

Cox, William E. *Examination of Dispensationalism*. Phillipsburg, N.J.: Presbyterian and Reformed, s/d.

DeVaux, Roland. *Ancient Israel*. 2 vols. Nova York: McGraw, 1965.

Douglas, J. D., red. *New Bible Dictionary*. Grand Rapids: Eerdmans, 1962.

Edersheim, Alfred. *The Life and Times of Jesus the Messiah*. Reimpressão. Grand Rapids: Eerdmans, 1972.

Fairbairn, Patrick. *Typology of Scripture*. 2 vols. Grand Rapids: Zondervan, s/d.

Farrar, Frederick W. *History of Interpretation*. 1885; reimpressão. Grand Rapids: Baker, 1961.

France, R. T. *Jesus and the Old Testament*. Downers Grove, Ill.: Inter-Varsity, 1971.

Freeman, James. *Manners and Customs of the Bible*. Plainfield, N.J.: Logos, reimpresso em 1972.

Fullerton, Kemper. *Notes on Hebrew Grammar*. 5ª ed. rev. Cincinnati: Lane Theological Seminary, 1898.

Gesenius, Friedrich H. W. *Hebrew Grammar*. 2ª ed. inglesa. Oxford: Clarendon, 1949.

Genesius, William. *Hebrew and Chaldee Lexicon*. Grand Rapids: Eerdmans, 1949.

Girdlestone, Robert B. *Synonyms of the Old Testament*. Reimpressão. Grand Rapids: Eerdmans, 1948.

Grant, Robert M. *A Short History of the Interpretation of the Bible*. Ed. rev. Nova York: Macmillan, 1972.

Gutierrez, Gustavo. *A Theology of Liberation*. Maryknoll, N.Y.: Orbis, 1973.

Haley, J. W. *An Examination of the Alleged Discrepancies of the Bible*. Grand Rapids: Baker, 1977.

Harrison, Roland K. *A History of Old Testament Times*. Grand Rapids: Zondervan, 1957.

Heaton, E. W. *Everyday Life in Old Testament Times*. Reimpressão. Nova York: Scribner's, 1977.

Jeremias, J. *Parables of Jesus*. Ed. rev. Nova York: Scribner's, 1971.

Kaiser, Walter, Jr. *Classical Evangelical Essays in Old Testament Interpretation*. Grand Rapids: Baker, 1972.

―――― *The Old Testament in Contemporary Preaching*. Grand Rapids: Baker, 1973.

Kitchen, K. A. *Ancient Orient and the Old Testament*. Downers Grove, Ill.: Inter-Varsity, 1966.

Kittel, Gerhard e Gerhard Friedrich. *Theological Dictionary of the New Testament*. 10 vols. Grand Rapids: Eerdmans, 1964-76.

Kraft, Charles. "Interpreting in Cultural Context." *Journal of the Evangelical Theological Society* 21 (1978):357-367.

Ladd, George Eldon. *Crucial Questions About the Kingdom of God*. Grand Rapids: Eerdmans, 1952.

―――― *A Theology of the New Testament*. Grand Rapids: Eerdmans, 1974.

Lampe, G. e K. Woolcombe. *Essays on Typology*. Napeville: Allenson, 1957.

Lewis, Gordon R. *Testing Christianity's Truth Claims*. Chicago: Moody, 1976.

Lindsell, Harold. *The Battle for the Bible*. Grand Rapids: Zondervan, 1976.

Longenecker, Richard. *Biblical Exegesis in the Apostolic Period*. Grand Rapids: Eerdmans, 1975.

Ludwigson, R. *A Survey of Biblical Prophecy*. 2ª ed. Grand Rapids: Zondervan, 1975.

Mickelsen, A. Berkeley. *Interpreting the Bible*. Grand Rapids: Eerdmans, 1963.

Miranda, J. *Marx and the Bible*. Maryknoll, N.Y.: Orbis, 1974.

Montgomery, John W., red. *God's Inerrant Word*. Minneapolis: Bethany, 1974.

Morris, Leon. *Apocaliptic*. Grand Rapids: Eerdmans, 1972.

Moulton, James H. e George Milligan. *Vocabulary of the Greek Testament*. Grand Rapids: Eerdmans, 1949.

Noth, Martin. *Old Testament World*. Filadélfia: Fortress Press, 1966.

Payne, J. Barton. *Encyclopedia of Biblical Prophecy*. Nova York: Harper & Row, 1973.

Pentecost, J. Dwight. *Things to Come*. Grand Rapids: Zondervan, 1958.

Perry, Lloyd. *Manual for Biblical Preaching*. Grand Rapids: Baker, 1965.

Pfeiffer, Charles. *Biblical World*. Grand Rapids: Baker, 1964.

Pinnock, Clark. *Biblical Revelation*. Chicago: Moody, 1971.

―――― "Liberation Theology: The Gains, The Gaps." *Christianity Today*, 16 de janeiro de 1976, pp. 13-15.

Pritchard, James B. *Ancient New Eastern Texts Relating to the Old Testament*. Princeton University Press, 1950.

—— *Ancient Near East in Pictures Relating to the Old Testament*. Princeton University Press, 1954.
Ramm, Bernard. *Hermeneutics*. Grand Rapids: Baker, 1971.
—— *Protestant Biblical Interpretation*. 3ª ed. rev. Grand Rapids: Baker, 1970.
Robertson, A. T. *Grammar of the Greek New Testament in the Light of Historical Research*. Nashville: Broadman, 1947.
—— *Word Pictures in the New Testament*. 6 vols. Nashville: Broadman, 1943.
Ryrie, C. C. *Dispensationalism Today*. Chicago: Moody, 1973.
Schultz, Samuel J. e Morris A. Inch, reds. *Interpreting the Word of God*. Chicago: Moody, 1976.
Scofield, C. I. *Rightly Dividing the Word of Truth*. Reimpressão. Grand Rapids: Zondervan, 1974.
Sproul, R. C. "Controversy at Culture Gap." *Eternity* (maio de 1976), pp. 13-15, 40.
Strong, James. *Exhaustive Concordance*. Nashville: Abingdon, 1890.
Surburg, Raymond. *How Dependable Is the Bible?* Filadélfia: Lippincott, 1972.
Tenney, Merrill. *Interpreting Revelation*. Grand Rapids: Eerdmans, 1957.
—— *New Testament Times*. Grand Rapids: Eerdmans, 1965.
Terry, Milston S. *Biblical Hermeneutics*. Reimpressão. Grand Rapids: Zondervan, 1974.
Thayer, Joseph H. *Greek-English Lexicon of the New Testament*. Reimpressão. Grand Rapids: Zondervan, 1956.
Thiele, Edwin. *The Mysterious Numbers of the Hebrew Kings*. Ed. rev. Grand Rapids: Eerdmans, 1965.
Thompson, John Arthur. *Bible and Archeology*. Grand Rapids: Eerdmans, 1962.
Thomson, William. *The Land and the Book*. 2 vols. Nova York: Harper, 1858.
Trench, Richard C. *Notes on the Parables of Our Lord*. Grand Rapids: Baker, 1948.
Trench, Robert C. *Synonyms of the New Testament*. Grand Rapids: Eerdmans, 1950.
Tyndale New Testament Commentary. 20 vols. Grand Rapids: Eerdmans, 1957-1974.
Vine, William R. *Expository Dictionary of New Testament Words*. Old Tappan, N.J.: Revell, 1940.
Walther, C. F. W. *The Proper Distinction Between Law and Gospel*. St Louis: Concordia, 1929.

Weingreen, Jacob. *Practical Grammar for Classical Hebrew*. 2ª ed. Nova York: Oxford, 1959.

Wenham, John. *Christ and the Bible*. Downers Grove: Inter-Varsity, 1972.

Wight, Fred. *Manners and Customs of Bible Lands*. Chicago: Moody, 1953.

Wigram, George V. *Englishman's Greek Concordance*. Ed. rev. Grand Rapids: Baker, 1979.

—— *Englishman's Hebrew and Chaldee Concordance*. Reimpressão. Grand Rapids: Zondervan, 1978.

Wright, George. *The Old Testament Against its Environment*. Londres: SCM Press, 1957.

Yamauchi, Edwin. "Christianity and Cultural Differences." *Christianity Today*, 23 de junho de 1972, pp. 5-8.

—— *The Stones and the Scriptures*. Filadélfia: Holman, 1977.

ÍNDICE DE ASSUNTOS

A
Agostinho, 45
Akiba, Rabino, 36
Alegoria, 66, 121, 133
Amilenismo, 141, 155
Analogia da Escritura, 89
Analogia da Fé, 89
Apocalíptica, 147

B
Berkhof, L., 53
Bíblia de Referência Scofield, 11, 94
Bíblias interlineares, 71, 83
Broadus, J., 53
Bruce, F. F., 10, 28, 90
Bultmann, R., 24, 53

C
Cabalistas, 47, 54
Cadbury, H. J., 24
Calvino, J., 49, 54
Cânon, Canonicidade, 9
Clemente, 44
Concordâncias, 78
Confessionalismo, 49
Conotação, 75, 76
Continuidade-descontinuidade, 90, 91
Crítica (alta) histórica, 11
Crítica textual, 10, 11, 28

D
Dedução de princípios, 163, 170
Denotação, 76
Desmitologização, 13, 52
Detalhes incidentais, 24
Dispensacionismo, 92-97
Dupla autoria, 17

E
Eisegese, 11
Erasmo, 54
Escola Síria de Antioquia, 46
Esdras, 36
Espírito Santo, 110
Etimologia, 77
Evangélicos conservadores, 18, 21, 32
Evangélicos liberais, 21, 32
Exegese, 32, 37
Exegese alegórica, 38
Exegese da Reforma, 35, 47
Exegese medieval, 35, 46
Exegese patrística, 35, 43
Exegese pós-Reforma, 35, 49

F
Farrar, F., 50
Fatores espirituais na percepção, 19
Figura representativa, 18, 144

Figuras de linguagem, 19
Filão, 38, 39
France, R. T., 28
Francke, A., 50
Fuller, D., 28

G
Garfinkel, H., 12
Graça, 103
Gramáticas, 71, 83

H
Harnack, A., 24
Hermenêutica especial, 10
Hermenêutica geral, 116
Hermenêutica moderna, 51
Hermenêutica, Nova, 53
Hillel, Rabino, 37, 39
Hirsch, E. D., 15, 16
História da salvação, 110

I
Iluminação, 21
Inerrância, 21
Inspiração, 36, 51
Interpretação histórico-gramatical, 50
Interpretação literal, 47
Interpretação midráshica, 37
Interpretação pesher, 38

J
Jeremias, J., 27

K
Kaiser, W. C., 6
Kantzer, K., 24
Kenosis, 26
Knox, J., 24

L
Lei, 105, 108
Letrismo, 37, 47, 68
Lexicologia, 71
Léxicos, analíticos, 71
Lindsell, H., 24, 29
Longenecker, R., 37
Lutero, M., 48, 51, 54

M
Masters, D., 21
Metáfora, 122, 186
Mickelsen, A. B., 53
Modelo epigenético, 101
Montgomery, J. W., 29

N
Naphtunkian, 14, 15
Nicolau de Lyra, 54
Nicole, R., 41
Nova hermenêutica, 53
Numerologia, 37, 47, 54

O
Orígenes, 44

P
Packer, J. I., 25
Parábola, 121, 125
Paralelismo, 36, 80, 82
Paralelos (verbais e reais), 82
Payne, J., 150
Perowne, T., 25
Perspectiva fenomenológica, 185
Perspectiva numenológica, 185
Peshat, 37
Pietismo, 50
Pinnock, C., 27
Pós-milenismo, 141
Pregação, 181
Pregação expositiva, 182
Pregação tópica, 182
Pré-milenismo, 141, 155
Profecia, 146, 156, 187

Q
Qumran, 30, 39

R
Racionalismo, 50, 51
Ramm, B., 18, 53
Revelação progressiva, 95
Reuchlin, 48, 54
Ryrie, 93

S

Salvação, história da, 109
Santayana, 35
Schaeffer, F., 29
Schleiermacher, 51
Sensus plenior, 17, 150
Sermonar, 182
Símbolos, interpretação simbólica, 18, 150
Símile, 121
Sintaxe, 82
Spener, P., 50
Sproul, R., 30

T

Teologia bíblica, 11
Teologia liberal, 51
Teologia neo-ortodoxa, 52
Teologia Sistemática, 11
Teoria das alianças, 99
Teoria luterana, 95
Terry, M. S., 64
Theodore de Mopsuestia, 46
Tipos, 141, 158
Torrence, T. F., 27
Transmissão transcultural, 163, 171, 174, 188

V

Validez da interpretação, 14
Verdade descritiva, 185
Verdade prescritiva, 185

W

Warfield, B. B., 27
Wenham, J., 22, 42, 106